#3주_완성
#쉽게
#빠르게
#재미있게

# 초등
# 수학 전략

Chunjae
Makes
Chunjae

▼

# [ 수학 전략 ]

| | |
|---|---|
| **기획총괄** | 김안나 |
| **편집개발** | 이근우, 김정희, 서진호, 한인숙, 김현주, 최수정, 김혜민, 박웅, 김정민 |
| **디자인총괄** | 김희정 |
| **표지디자인** | 윤순미, 안채리 |
| **내지디자인** | 박희춘 |
| **제작** | 황성진, 조규영 |

| | |
|---|---|
| **발행일** | 2021년 12월 15일 초판 2021년 12월 15일 1쇄 |
| **발행인** | (주)천재교육 |
| **주소** | 서울시 금천구 가산로9길 54 |
| **신고번호** | 제2001-000018호 |
| **고객센터** | 1577-0902 |

# 수학전략

초등 수학 **3-1**

## 이 책의 **구성과 특징** ── 3주 완성

### 핵심 개념

단원별로 꼭 필요한 핵심 개념을 만화를 보면서
재미있게 익힐 수 있도록 하였습니다.

### 개념 돌파 전략❶, ❷

개념 돌파 전략❶에서는 단원별로
기본적인 개념을 설명하고 개념의 기초를 확인하는
문제를 제시하였습니다.
개념 돌파 전략❷에서는 기본적인 개념을 알고 있는지
문제로 확인할 수 있습니다.

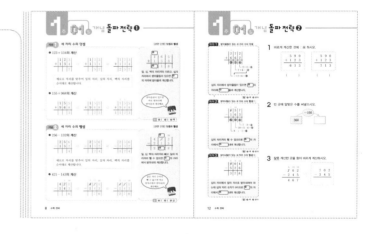

### 필수 체크 전략❶, ❷

필수 체크 전략❶에서는 단원별로
중요한 유형을 선택하여 반복 연습할 수 있도록
하였습니다.
필수 체크 전략❷에서는 추가적으로
중요한 유형을 선택하여 문제로 확인할 수 있도록
하였습니다.

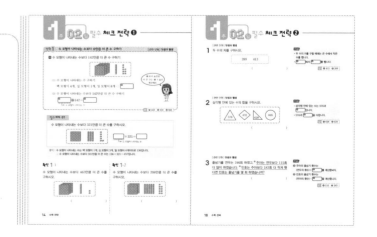

## 교과서 대표 전략❶, ❷

교과서 대표 전략❶에서는 단원별로 교과서에 나오는
대표적인 문제를 제시하였습니다.
교과서 대표 전략❷에서는 한 번 더 확인할 수 있는
문제를 제시하였습니다.

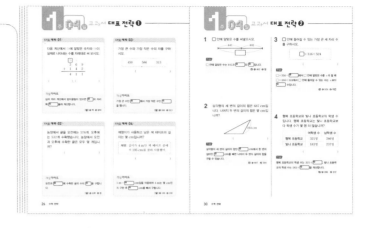

## 누구나 만점 전략
## 창의·융합·코딩 전략❶, ❷

누구나 만점 전략에서는 단원별로 꼭 풀어야 하는
문제를 제시하여 누구나 만점을 받을 수 있도록 하였습니다.
창의·융합·코딩 전략에서는 새 교육과정에서 제시하는
창의, 융합, 코딩 문제를 쉽게 접근할 수 있도록
제시하였습니다.

## 권말정리 마무리 전략
## 신유형·신경향·서술형 전략
## 학력진단 전략 1~3회

권말정리 마무리 전략은 만화로
마무리할 수 있게 하였습니다.
신유형·신경향·서술형 전략에서는
신유형, 신경향, 서술형 문제를 쉽게 풀 수
있도록 단계별로 제시하였습니다.
학력진단 전략은 총 3회로 전 단원의 학력을
진단할 수 있도록 구성하였습니다.

# 이 책의 차 례

# 덧셈과 뺄셈, 길이와 시간

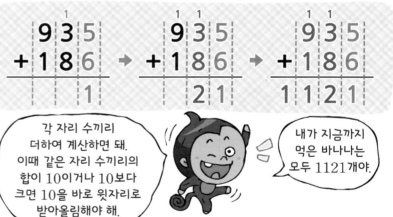

❶ 세 자리 수의 덧셈
❷ 세 자리 수의 뺄셈

❸ 1 cm보다 작은 단위, 1 m보다 큰 단위
❹ 1분보다 작은 단위, 시간의 덧셈과 뺄셈

**개념 ❶  세 자리 수의 덧셈**

[관련 단원] 덧셈과 뺄셈

◉ 123+134의 계산

$$
\begin{array}{r}
1\ 2\ 3 \\
+\ 1\ 3\ 4 \\
\hline
7
\end{array}
\ \Rightarrow\ 
\begin{array}{r}
1\ 2\ 3 \\
+\ 1\ 3\ 4 \\
\hline
5\ 7
\end{array}
\ \Rightarrow\ 
\begin{array}{r}
1\ 2\ 3 \\
+\ 1\ 3\ 4 \\
\hline
2\ 5\ 7
\end{array}
$$

> 세로로 자리를 맞추어 일의 자리, 십의 자리, 백의 자리를 순서대로 계산합니다.

◉ 155+968의 계산

$$
\begin{array}{r}
1 \\
1\ 5\ 5 \\
+\ 9\ 6\ 8 \\
\hline
3
\end{array}
\ \Rightarrow\ 
\begin{array}{r}
1\ \ 1 \\
1\ 5\ 5 \\
+\ 9\ 6\ 8 \\
\hline
2\ 3
\end{array}
\ \Rightarrow\ 
\begin{array}{r}
1\ \ 1 \\
1\ 5\ 5 \\
+\ 9\ 6\ 8 \\
\hline
1\ 1\ 2\ 3
\end{array}
$$

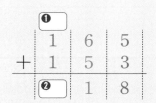

$$
\begin{array}{r}
❶ \\
1\ 6\ 5 \\
+\ 1\ 5\ 3 \\
\hline
❷\quad 1\ 8
\end{array}
$$

일, 십, 백의 자리끼리 더하고, 십의 자리에서 받아올림이 있으면 ❸ 의 자리에 받아올려 계산합니다.

> 받아올림이 있으면 바로 윗자리에 받아올려 계산해요.

답 ❶ 1  ❷ 3  ❸ 백

---

**개념 ❷  세 자리 수의 뺄셈**

[관련 단원] 덧셈과 뺄셈

◉ 256−132의 계산

$$
\begin{array}{r}
2\ 5\ 6 \\
-\ 1\ 3\ 2 \\
\hline
4
\end{array}
\ \Rightarrow\ 
\begin{array}{r}
2\ 5\ 6 \\
-\ 1\ 3\ 2 \\
\hline
2\ 4
\end{array}
\ \Rightarrow\ 
\begin{array}{r}
2\ 5\ 6 \\
-\ 1\ 3\ 2 \\
\hline
1\ 2\ 4
\end{array}
$$

> 세로로 자리를 맞추어 일의 자리, 십의 자리, 백의 자리를 순서대로 계산합니다.

◉ 421−143의 계산

$$
\begin{array}{r}
1\ \ 10 \\
4\ 2\ 1 \\
-\ 1\ 4\ 3 \\
\hline
8
\end{array}
\ \Rightarrow\ 
\begin{array}{r}
3\ 11\ 10 \\
4\ 2\ 1 \\
-\ 1\ 4\ 3 \\
\hline
7\ 8
\end{array}
\ \Rightarrow\ 
\begin{array}{r}
3\ 11\ 10 \\
4\ 2\ 1 \\
-\ 1\ 4\ 3 \\
\hline
2\ 7\ 8
\end{array}
$$

$$
\begin{array}{r}
❶\quad 10 \\
4\ 3\ 3 \\
-\ 2\ 1\ 5 \\
\hline
2\ ❷\ 8
\end{array}
$$

일, 십, 백의 자리끼리 빼고, 일의 자리끼리 뺄 수 없으면 ❸ 의 자리에서 받아내려 계산합니다.

> 같은 자리 수끼리 뺄 수 없으면 바로 윗자리에서 받아내려 계산해요.

답 ❶ 2  ❷ 1  ❸ 십

**1-1** 235+241을 수 모형으로 계산하시오.

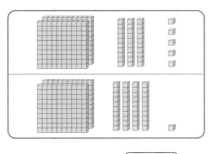

$$235+241=\boxed{\phantom{000}}$$

• **풀이** • 백 모형이 4개, 십 모형이 ❶ $\boxed{\phantom{0}}$ 개, 일 모형이 6개이므로

$235+241=$ ❷ $\boxed{\phantom{00}}$ 입니다.   답 ❶ 7  ❷ 476

**1-2** 461+123을 수 모형으로 계산하시오.

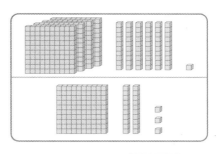

$$461+123=\boxed{\phantom{000}}$$

**2-1** 537−215를 수 모형으로 계산하시오.

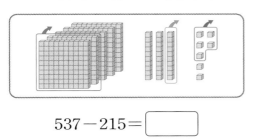

$$537-215=\boxed{\phantom{000}}$$

• **풀이** • 백 모형이 3개, 십 모형이 ❶ $\boxed{\phantom{0}}$ 개, 일 모형이 2개 남으므로

$537-215=$ ❷ $\boxed{\phantom{00}}$ 입니다.   답 ❶ 2  ❷ 322

**2-2** 685−471을 수 모형으로 계산하시오.

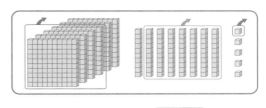

$$685-471=\boxed{\phantom{000}}$$

**3-1** ☐ 안의 수 1이 실제로 나타내는 수를 찾아 ○표 하시오.

$$\begin{array}{r} \boxed{1}\phantom{00} \\ 5\ \ 4\ \ 5 \\ +\ 3\ \ 1\ \ 9 \\ \hline 8\ \ 6\ \ 4 \end{array}$$

( 1 , 10 , 100 )

• **풀이** • ☐ 안의 수 1은 일의 자리 계산에서 ❶ $\boxed{\phantom{00}}$ 의 자리에 받아올림한

수이므로 실제로 ❷ $\boxed{\phantom{00}}$ 을 나타냅니다.   답 ❶ 십  ❷ 10

**3-2** ☐ 안의 수 1이 실제로 나타내는 수를 찾아 ○표 하시오.

$$\begin{array}{r} \boxed{1}\phantom{00} \\ 2\ \ 7\ \ 3 \\ +\ 4\ \ 5\ \ 1 \\ \hline 7\ \ 2\ \ 4 \end{array}$$

( 1 , 10 , 100 )

## 개념 3    길이 알아보기

[관련 단원] 길이와 시간

● **1 cm보다 작은 단위, 1 m보다 큰 단위**

1 mm: 1 cm를 10칸으로 똑같이 나누었을 때 작은 눈금 한 칸의 길이

쓰기 1 mm

읽기 1 밀리미터

$1 cm = 10 mm$

쓰기 12 cm 4 mm

읽기 12 센티미터 4 밀리미터

$12 cm 4 mm = 124 mm$

1 km: 1000 m와 같은 거리

쓰기 1 km

읽기 1 킬로미터

$1000 m = 1 km$

쓰기 3 km 700 m

읽기 3 킬로미터 700 미터

$3 km 700 m = 3700 m$

• 1 cm를 10칸으로 똑같이 나누었을 때 작은 눈금 한 칸의 길이를 1 ❶ 라 씁니다.

• 1000 m를 1 ❷ 라 씁니다.

1 cm보다 짧은 길이를 나타낼 때는 mm를, 1000 m보다 긴 길이를 나타낼 때는 km를 사용해요.

답 ❶ mm  ❷ km

## 개념 4    시간 알아보기

[관련 단원] 길이와 시간

● **1분보다 작은 단위**

1초: 초바늘이 작은 눈금 한 칸을 가는 동안 걸리는 시간

60초: 초바늘이 시계를 한 바퀴 도는 데 걸리는 시간

$60초 = 1분$

● **시각 읽기**

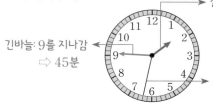

짧은바늘: 1과 2 사이를 가리킴 ⇨ 1시

긴바늘: 9를 지나감 ⇨ 45분

⇨ **1시 45분 32초**

초바늘: 6(30초)에서 작은 눈금 2칸 더 간 곳을 가리킴 ⇨ 32초

● **시간의 덧셈과 뺄셈**

→ 60분을 1시간으로 받아올림 ①

|   | 1시 | 30분 | 20초 |
|---|---|---|---|
| + | 2시간 | 40분 | 30초 |
|   | 4시 | 10분 | 50초 |

→ 1시간을 60으로 받아내림 ② ㉖⓪

|   | 3시 | 20분 | 40초 |
|---|---|---|---|
| − | 1시 | 50분 | 10초 |
|   | 1시간 | 30분 | 30초 |

• 초바늘이 작은 눈금 한 칸을 가는 동안 걸리는 시간은 ❶ 초입니다.

• 초바늘이 시계를 한 바퀴 도는 데 걸리는 시간은 ❷ 초입니다.

시는 시끼리, 분은 분끼리, 초는 초끼리 계산해요.

답 ❶ 1  ❷ 60

▶정답 및 풀이 2쪽

**4-1** ☐ 안에 알맞은 수를 써넣으시오.

☐ cm ☐ mm

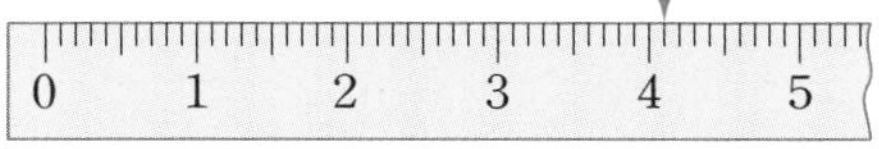


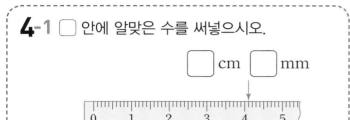

• **풀이** • 4 cm보다 ❶☐ mm 더 길므로 4 cm ❷☐ mm입니다.

답 ❶ 1 ❷ 1

**4-2** ☐ 안에 알맞은 수를 써넣으시오.

☐ cm ☐ mm

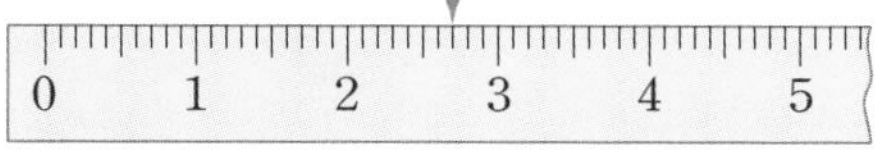


**5-1** 다음 길이를 쓰고 읽어 보시오.

1 cm보다 9 mm 더 긴 것

쓰기 ☐ cm ☐ mm

읽기 (                    )

• **풀이** • 1 cm보다 9 mm 더 긴 것을 ❶☐ cm ❷☐ mm라고 씁니다.

답 ❶ 1 ❷ 9

**5-2** 다음 길이를 쓰고 읽어 보시오.

2 km보다 500 m 더 긴 것

쓰기 ☐ km ☐ m

읽기 (                    )

**6-1** 시각을 읽어 보시오.

(1)

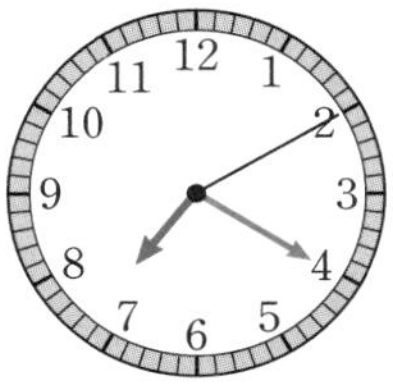

7시 ☐분 ☐초

(2)

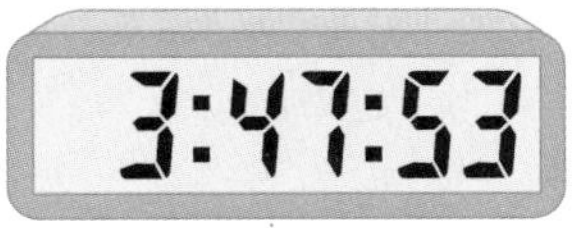


3시 ☐분 ☐초

• **풀이** • (1) 초바늘이 2를 가리키면 ❶☐초를 나타냅니다.

(2) 디지털시계는 왼쪽부터 차례대로 '시 : 분 : ❷☐'를 나타냅니다.

답 ❶ 10 ❷ 초

**6-2** 시각을 읽어 보시오.

(1)

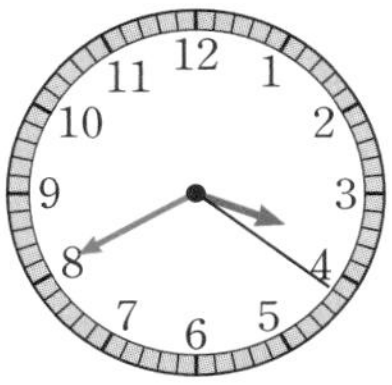

3시 ☐분 ☐초

(2)

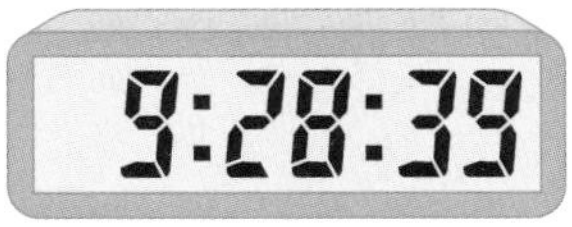


9시 ☐분 ☐초

**예제 1** 받아올림이 있는 세 자리 수의 덧셈

$$
\begin{array}{r}
{\scriptstyle 1} \phantom{00} \\
2\ 7\ 2 \\
+\ 6\ 6\ 2 \\
\hline
\textcircled{9}\ \textcircled{3}\ \textcircled{4}
\end{array}
$$

└ 2+2=④
└ 7+6=13
└ 1+2+6=⑨

십의 자리에서 받아올림이 있으면 ❶ 의 자리에 ❷ 올려 계산합니다.

[답] ❶ 백 ❷ 받아

**예제 2** 받아내림이 있는 세 자리 수의 뺄셈(1)

$$
\begin{array}{r}
{\scriptstyle 7}\ {\scriptstyle 10}\phantom{0} \\
8\ 5\ 7 \\
-\ 1\ 6\ 3 \\
\hline
\textcircled{6}\ \textcircled{9}\ \textcircled{4}
\end{array}
$$

└ 7−3=④
└ 10+5−6=⑨
└ 8−1−1=⑥

십의 자리끼리 뺄 수 없으므로 ❶ 의 자리에서 ❷ 내려 계산합니다.

[답] ❶ 백 ❷ 받아

**예제 3** 받아내림이 있는 세 자리 수의 뺄셈(2)

$$
\begin{array}{r}
{\scriptstyle 8}\ {\scriptstyle 9}\ {\scriptstyle 10} \\
9\ 0\ 4 \\
-\ 5\ 2\ 6 \\
\hline
3\ 7\ 8
\end{array}
$$

십의 자리에서 일의 자리로 받아내려야 하는데 십의 자리 숫자가 0이므로 ❶ 의 자리에서 ❷ 내려 계산합니다.

[답] ❶ 백 ❷ 받아

**1** 바르게 계산한 것에 ○표 하시오.

$$
\begin{array}{r}
5\ 9\ 0 \\
+\ 1\ 2\ 3 \\
\hline
6\ 1\ 3
\end{array}
\qquad
\begin{array}{r}
5\ 9\ 0 \\
+\ 1\ 2\ 3 \\
\hline
7\ 1\ 3
\end{array}
$$

(            )          (            )

**2** 빈 곳에 알맞은 수를 써넣으시오.

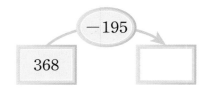

**3** 잘못 계산한 곳을 찾아 바르게 계산하시오.

$$
\begin{array}{r}
{\scriptstyle 6}\ {\scriptstyle 10}\ {\scriptstyle 10} \\
7\ 0\ 2 \\
-\ 2\ 4\ 5 \\
\hline
4\ 6\ 7
\end{array}
\Rightarrow
\begin{array}{r}
7\ 0\ 2 \\
-\ 2\ 4\ 5 \\
\hline
\phantom{000}
\end{array}
$$

**예제 4** 길이를 어림하고 자로 재어 보기

|  | 준수 | 민희 |
|---|---|---|
| 어림한 길이 | 약 3 cm | 약 2 cm |
| 자로 잰 길이 | 2 cm 8 mm |  |

어림한 길이와 ❶ 로 잰 길이의 차가 작을수록 어림을 잘한 것이므로 어림을 더 잘한 사람은 ❷ 입니다.

[답] ❶ 자 ❷ 준수

**4** 비스킷의 길이를 어림하고 자로 재어 보시오.

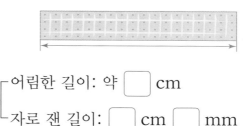

┌ 어림한 길이: 약 [ ] cm
└ 자로 잰 길이: [ ] cm [ ] mm

**예제 5** 초 알아보기

1초: 초바늘이 작은 눈금 한 칸을 가는 동안 걸리는 시간
60초: 초바늘이 시계를 한 바퀴 도는 데 걸리는 시간 ⇨ 60초=1분

60초=❶ 분이므로 120초=❷ 분입니다.

[답] ❶ 1 ❷ 2

**5** ☐ 안에 알맞은 수를 써넣으시오.

(1) 140초 = [ ] 초 + 20초

= [ ] 분 [ ] 초

(2) 1분 10초 = [ ] 초 + 10초

= [ ] 초

60초=1분임을 이용해요.

**예제 6** 시간의 덧셈과 뺄셈

```
      1                3      60
   16분 15초        4시간 10분
 +  4분 50초      − 2시간 30분
 ─────────        ─────────────
   21분  5초         1시간 40분
```

시는 시끼리, 분은 ❶ 끼리, 초는 ❷ 끼리 계산합니다.

[답] ❶ 분 ❷ 초

**6** 계산을 하시오.

(1)
```
     2분  50초
 +   6분  30초
```

(2)
```
    4시간  20분
 −  1시간  40분
```

(3) 3시 25분 + 1시간 5분

(4) 20분 38초 − 9분 10초

**전략 1**　　수 모형이 나타내는 수보다 ■만큼 더 큰 수 구하기　　　　[관련 단원] 덧셈과 뺄셈

**예** 수 모형이 나타내는 수보다 142만큼 더 큰 수 구하기

(1) 수 모형이 나타내는 수 구하기

　　백 모형이 4개, 십 모형이 1개, 일 모형이 8개 ⇨ ❶[　　　]

(2) 수 모형이 나타내는 수보다 142만큼 더 큰 수 구하기

　　❷[　　　] ＋142＝❸[　　　]
　　└▶ 수 모형이 나타내는 수

> ■보다 ▲만큼 더 큰 수는 ■＋▲로 계산해요.

**답** ❶ 418　❷ 418　❸ 560

**필수예제 01**

수 모형이 나타내는 수보다 321만큼 더 큰 수를 구하시오.

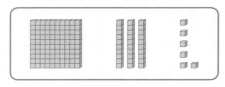

[　　　] ＋321＝[　　　]
　└▶ 수 모형이 나타내는 수

**풀이** | 수 모형이 나타내는 수는 백 모형이 1개, 십 모형이 3개, 일 모형이 6개이므로 136입니다.

　⇨ 수 모형이 나타내는 수보다 321만큼 더 큰 수는 136＋321＝457입니다.

**확인 1**-1

수 모형이 나타내는 수보다 463만큼 더 큰 수를 구하시오.

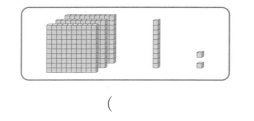

(　　　　　　　　)

**확인 1**-2

수 모형이 나타내는 수보다 208만큼 더 큰 수를 구하시오.

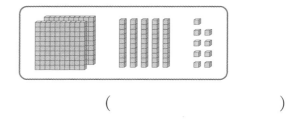

(　　　　　　　　)

## 전략 2  덧셈식에서 ☐ 안에 알맞은 수 구하기

**예** 덧셈식에서 ㉠, ㉡, ㉢에 알맞은 수 각각 구하기

$$
\begin{array}{cccc}
 & ㉢ & 8 & 7 \\
+ & 3 & ㉡ & 5 \\
\hline
 & 7 & 5 & ㉠ \\
\end{array}
$$

(1) 일의 자리 계산: $7+5=12 \Rightarrow ㉠=$ ❶ ☐

(2) 십의 자리 계산: $1+8+㉡=15 \Rightarrow ㉡=$ ❷ ☐

(3) 백의 자리 계산: $1+㉢+3=7 \Rightarrow ㉢=$ ❸ ☐

각 자리 계산에서 받아올림에 주의하여 계산해요.

답  ❶ 2  ❷ 6  ❸ 3

### 필수예제 02

덧셈식에서 ㉠, ㉡, ㉢에 알맞은 수를 각각 구하시오.

$$
\begin{array}{cccc}
 & ㉢ & 4 & 8 \\
+ & 1 & ㉡ & 6 \\
\hline
 & 4 & 1 & ㉠ \\
\end{array}
$$

㉠= ☐

㉡= ☐

㉢= ☐

**풀이** • 일의 자리 계산: $8+6=14 \Rightarrow ㉠=4$

• 십의 자리 계산: $1+4+㉡=11 \Rightarrow ㉡=6$

• 백의 자리 계산: $1+㉢+1=4 \Rightarrow ㉢=2$

## 확인 2-1

☐ 안에 알맞은 수를 써넣으시오.

$$
\begin{array}{cccc}
 & ☐ & 5 & 7 \\
+ & 3 & 2 & ☐ \\
\hline
 & 8 & ☐ & 4 \\
\end{array}
$$

## 확인 2-2

☐ 안에 알맞은 수를 써넣으시오.

$$
\begin{array}{cccc}
 & 6 & 5 & ☐ \\
+ & 2 & ☐ & 9 \\
\hline
 & ☐ & 3 & 1 \\
\end{array}
$$

**전략 3**  시간 비교하기  [관련 단원] 길이와 시간

**예** 진우와 현수 중에서 줄넘기를 더 오래 한 사람 구하기

| 진우 | 280초 | 현수 | 4분 35초 |

(1) 280초는 몇 분 몇 초인지 구하기

280초＝240초＋40초＝ ❶ □ 분 40초

60초＝1분임을 이용해요.

(2) 줄넘기를 더 오래 한 사람 구하기

더 긴 시간은 ❷ □ 초이므로 줄넘기를 더 오래 한 사람은 ❸ □ 입니다.

답 ❶ 4 ❷ 280 ❸ 진우

---

**필수 예제 03**

경희와 영수의 오래 매달리기 기록입니다. 더 오래 매달린 사람은 누구입니까?

| 경희 | 130초 | 영수 | 2분 20초 |

(1) 130초는 몇 분 몇 초인지 구하시오.

130초＝ □ 분 □ 초

(2) 더 오래 매달린 사람은 누구입니까?

(                                    )

풀이 | (1) 130초＝120초＋10초＝2분 10초

(2) 더 긴 시간은 2분 20초이므로 더 오래 매달린 사람은 영수입니다.

---

**확인 3**-1

음악 한 곡의 재생 시간입니다. 재생 시간이 더 긴 것을 찾아 써 보시오.

| 바다 여행 | 200초 | 날아라 펭귄아 | 3분 10초 |

(                    )

**확인 3**-2

재희가 양치와 세수를 하는 데 걸린 시간입니다. 더 오래 한 것을 찾아 써 보시오.

| 양치 | 165초 | 세수 | 2분 55초 |

(                    )

---

**전략 4** 가장 가까운 곳 구하기 　　　　　　　　　[관련 단원] 길이와 시간

**예** 집에서 가장 가까운 곳 구하기

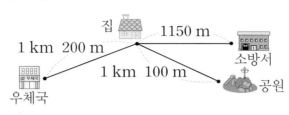

(1) 집에서 소방서까지의 거리를 몇 km 몇 m로 나타내기

1150 m = 1000 m + 150 m = **❶** km 150 m

1000 m = 1 km 임을 이용해요.

(2) 집에서 가장 가까운 곳 구하기

가장 짧은 거리는 1 km **❷** m이므로 집에서 가장 가까운 곳은 **❸** 입니다.

답 ❶ 1 　❷ 100 　❸ 공원

**필수예제 04**

집에서 가장 가까운 곳을 찾아 써 보시오.

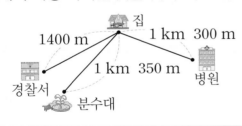

1400 m = 1 km [　] m이므로

집에서 가장 가까운 곳은 [　] 입니다.

풀이 | 집에서 경찰서까지의 거리는 1400 m = 1000 m + 400 m = 1 km 400 m입니다.

⇨ 가장 짧은 거리는 1 km 300 m이므로 집에서 가장 가까운 곳은 병원입니다.

**확인 4**-1

학교에서 가장 가까운 곳을 찾아 써 보시오.

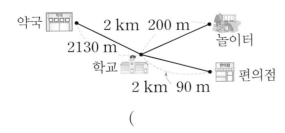

(　　　　　　)

**확인 4**-2

학원에서 가장 가까운 곳을 찾아 써 보시오.

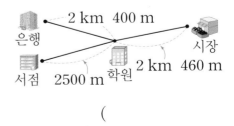

(　　　　　　)

[관련 단원] 덧셈과 뺄셈

**1** 두 수의 차를 구하시오.

| 289 413 |

( )

[관련 단원] 덧셈과 뺄셈

**2** 삼각형 안에 있는 수의 합을 구하시오.

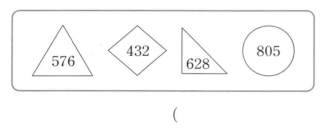

( )

[관련 단원] 덧셈과 뺄셈

**3** 줄넘기를 연우는 246회 하였고, ❶ 주아는 연우보다 115회 더 많이 하였습니다. ❷ 민호는 주아보다 183회 더 적게 했다면 민호는 줄넘기를 몇 회 하였습니까?

( )

[ 관련 단원 ] 길이와 시간

**4** 알맞은 단위에 ◯표 하시오.

(1)

휴대 전화의 짧은 쪽의 길이는
약 8 ( cm , mm )입니다.

(2)

둘레길의 길이는
약 2 ( km , m )입니다.

[ 관련 단원 ] 길이와 시간

**5** 훌라후프를 진아는 100초, 수경이는 225초 동안 하였습니다. **❶**두 사람이 훌라후프를 한 시간은 모두 **❷**몇 분 몇 초인지 구하시오.

(             )

[ 관련 단원 ] 길이와 시간

**6** 은영이네 가족은 9시 20분 50초에 산 입구에서 출발하여 10시 40분 20초에 산 정상에 도착하였습니다. 은영이네 가족이 산 정상에 도착하는 데 걸린 시간은 몇 시간 몇 분 몇 초입니까?

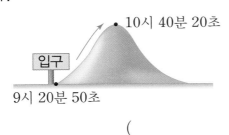

10시 40분 20초

입구

9시 20분 50초

(             )

**전략 1** □ 안에 알맞은 수 구하기 [관련 단원] 덧셈과 뺄셈

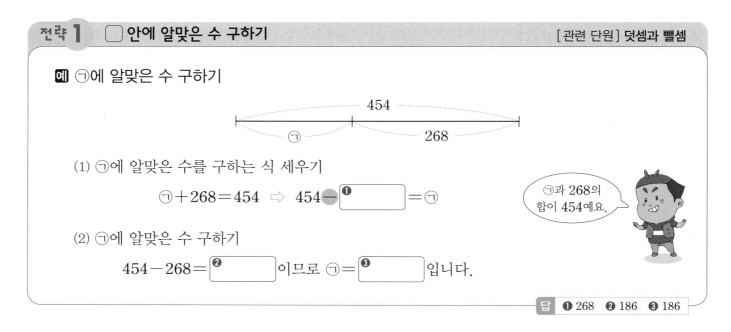

**예** ㉠에 알맞은 수 구하기

454

㉠ 268

(1) ㉠에 알맞은 수를 구하는 식 세우기

㉠＋268＝454 ⇨ 454－❶[        ]＝㉠

(2) ㉠에 알맞은 수 구하기

454－268＝❷[        ]이므로 ㉠＝❸[        ]입니다.

㉠과 268의 합이 454예요.

답 ❶ 268 ❷ 186 ❸ 186

**필수 예제 01**

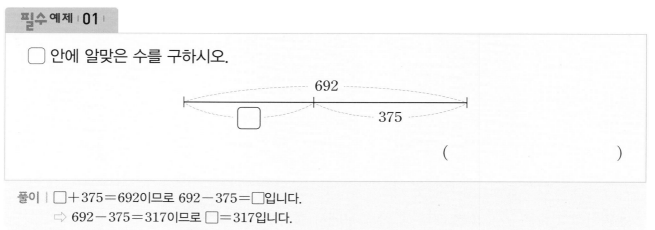

□ 안에 알맞은 수를 구하시오.

692

□ 375

( )

풀이 | □＋375＝692이므로 692－375＝□입니다.
⇨ 692－375＝317이므로 □＝317입니다.

**확인 1**-1

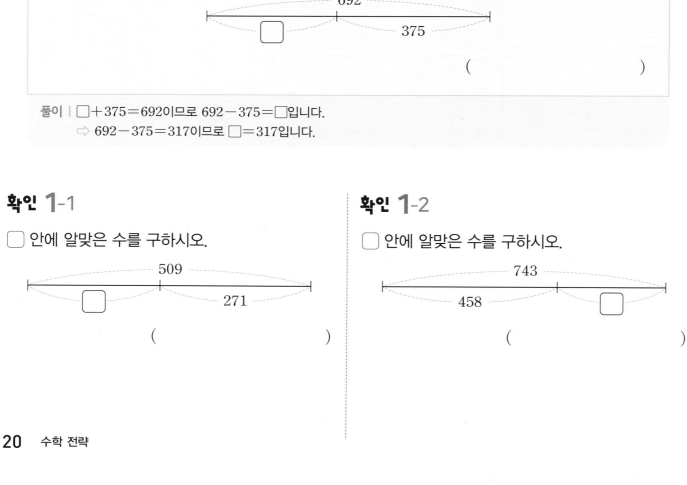

□ 안에 알맞은 수를 구하시오.

509

□ 271

( )

**확인 1**-2

□ 안에 알맞은 수를 구하시오.

743

458 □

( )

## 전략 **2**  바르게 계산한 값 구하기  [관련 단원] 덧셈과 뺄셈

**예** 어떤 수에서 137을 빼야 할 것을 잘못하여 더했더니 650이 되었을 때 바르게 계산한 값 구하기

(1) 어떤 수를 ■라 하고 잘못 계산한 식 세우기

■＋137＝650

(2) 덧셈과 뺄셈의 관계를 이용하여 ■의 값 구하기

■＋137＝650, 650－137＝■, ■＝**❶**☐

덧셈과 뺄셈의 관계는 다음과 같아요.

■＋▲＝●

●－▲＝■

(3) 바르게 계산한 값 구하기

■－137＝**❷**☐－137＝**❸**☐

답 **❶** 513  **❷** 513  **❸** 376

### 필수예제 02

어떤 수에서 207을 빼야 할 것을 잘못하여 더했더니 911이 되었습니다. 바르게 계산하면 얼마입니까? (       )

① 395　　　　　② 418　　　　　③ 497

④ 512　　　　　⑤ 523

**풀이** | 어떤 수를 ☐라 하면 ☐＋207＝911, 911－207＝☐, ☐＝704입니다.

⇨ 바르게 계산하면 704－207＝497입니다.

## 확인 **2**-1

어떤 수에서 346을 빼야 할 것을 잘못하여 더했더니 715가 되었습니다. 바르게 계산하면 얼마인지 구하시오.

(　　　　　　　)

## 확인 **2**-2

어떤 수에서 242를 빼야 할 것을 잘못하여 더했더니 892가 되었습니다. 바르게 계산하면 얼마인지 구하시오.

(　　　　　　　)

**전략 3** 길이 비교하기　　　　　　　　　　　　　　　　[관련 단원] 길이와 시간

**예** 파란색 끈과 노란색 끈 중에서 길이가 더 긴 것 찾기

| 파란색 끈 | 97 mm | 노란색 끈 | 9 cm 2 mm |
|---|---|---|---|

(1) 파란색 끈의 길이를 몇 cm 몇 mm로 나타내기

$97 \text{ mm} = 90 \text{ mm} + 7 \text{ mm} = $ ❶☐ cm 7 mm

> 10 mm=1 cm 임을 이용해요.

(2) 길이가 더 긴 것 찾기

더 긴 길이는 ❷☐ mm이므로 길이가 더 긴 것은 ❸☐ 색 끈입니다.

답　❶ 9　❷ 97　❸ 파란

---

**필수 예제 | 03 |**

볼펜과 색연필 중에서 길이가 더 긴 것을 찾아 써 보시오.

| 볼펜 | 113 mm | 색연필 | 10 cm 8 mm |
|---|---|---|---|

(1) 볼펜의 길이를 몇 cm 몇 mm로 나타내어 보시오.

$113 \text{ mm} = $ ☐ cm ☐ mm

(2) 길이가 더 긴 것을 찾아 써 보시오.

(　　　　　　　　)

풀이 | (1) 볼펜의 길이는 113 mm=110 mm+3 mm=11 cm 3 mm입니다.
　　　(2) 더 긴 길이는 113 mm이므로 길이가 더 긴 것은 볼펜입니다.

---

**확인 3-1**

길이가 더 긴 것을 찾아 기호를 써 보시오.

| ㉠ 6 cm 1 mm | ㉡ 64 mm |
|---|---|

(　　　　　)

**확인 3-2**

길이가 더 긴 것을 찾아 기호를 써 보시오.

| ㉠ 130 mm | ㉡ 12 cm 4 mm |
|---|---|

(　　　　　)

## 전략 4 걸린 시간 구하기 [관련 단원] 길이와 시간

예 축구를 시작한 시각과 끝낸 시각을 보고 축구를 한 시간 구하기

시작한 시각 　　　　끝낸 시각

> 디지털시계는 왼쪽부터 차례대로 '시 : 분 : 초'를 나타내요.

(1) 축구를 시작한 시각과 끝낸 시각을 각각 구하기

축구를 시작한 시각: 1시 10분 20초, 축구를 끝낸 시각: 2시 30분 ❶ ☐ 초

(2) 축구를 한 시간 구하기

2시 30분 ❷ ☐ 초 ─ 1시 10분 20초 ＝ 1시간 20분 ❸ ☐ 초

답 ❶ 50 ❷ 50 ❸ 30

### 필수예제 04

희수가 야구를 시작한 시각과 끝낸 시각입니다. 희수가 야구를 한 시간을 구하시오.

시작한 시각 　　　　끝낸 시각

☐ 시간 ☐ 분 ☐ 초

풀이 | 야구를 시작한 시각: 8시 10분 30초, 야구를 끝낸 시각: 10시 20분 40초
⇨ 야구를 한 시간: 10시 20분 40초 ─ 8시 10분 30초 ＝ 2시간 10분 10초

## 확인 4-1

경석이가 청소를 시작한 시각과 끝낸 시각입니다. 경석이가 청소를 한 시간을 구하시오.

시작한 시각 　　　　끝낸 시각

(　　　　　　　　)

## 확인 4-2

정후가 숙제를 시작한 시각과 끝낸 시각입니다. 정후가 숙제를 한 시간을 구하시오.

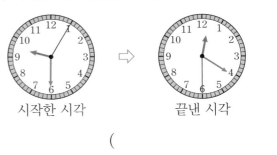

시작한 시각 　　　　끝낸 시각

(　　　　　　　　)

[ 관련 단원 ] 덧셈과 뺄셈

**1** 크기를 비교하여 ○ 안에 >, =, <를 알맞게 써넣으시오.

$$359 + 254 \bigcirc 650$$

[ 관련 단원 ] 덧셈과 뺄셈

**2** 주어진 수 중에서 2개를 골라 뺄셈식을 만들려고 합니다. ☐ 안에 알맞은 수를 써넣으시오.

| 356 | 531 | 326 |

$$\boxed{\phantom{000}} - \boxed{\phantom{000}} = 175$$

[ 관련 단원 ] 덧셈과 뺄셈

**3** ❶수 카드를 한 번씩만 사용하여 가장 큰 세 자리 수를 만들었습니다. ❷만든 세 자리 수와 469의 합을 구하시오.

| 3 | 2 | 4 |

(              )

[ 관련 단원 ] 길이와 시간

**4** 잘못 계산한 곳을 찾아 바르게 계산하시오.

$$
\begin{array}{rr}
9시 & 14분 \\
+\ 7분 & 22초 \\
\hline
16시 & 36분
\end{array}
$$

⇨

• 시는 시끼리, 분은 ❶ 끼리,
  초는 ❷ 끼리 계산해야 합니다.
• 같은 단위끼리 계산해 봅니다.

답 ❶ 분 ❷ 초

[ 관련 단원 ] 길이와 시간

**5** 민경, 준아, 영규가 각자 신발의 길이를 재어 보았습니다. ❶ 민경이는 22 cm 5 mm, 준아는 210 mm이고 영규는 23 cm보다 5 mm 더 깁니다. ❷ 신발의 길이가 짧은 사람부터 차례대로 이름을 써 보시오.

( )

Tip

❶ 길이를 모두 몇 cm 몇 mm로 나타냅니다.

210 mm = ❶ cm

(23 cm보다 5 mm 더 긴 것)

= 23 cm ❷ mm

❷ 세 사람의 신발의 길이를 비교합니다.

답 ❶ 21 ❷ 5

[ 관련 단원 ] 길이와 시간

**6** 학교에서 놀이터까지의 거리는 약 500 m입니다. 학교에서 빵집까지의 거리는 약 몇 km 몇 m인지 구하시오.

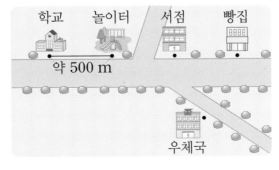

약 ( )

Tip

• 학교에서 빵집까지의 거리는 500 m씩 ❶ 번쯤 간 거리와 같습니다.
• 학교에서 빵집까지의 거리는 약 몇 m인지 구한 후 몇 ❷ 몇 m로 나타냅니다.

답 ❶ 3 ❷ km

**대표 예제 01**

다음 계산에서 ㉠에 알맞은 숫자와 ㉠이 실제로 나타내는 수를 차례대로 써 보시오.

$$
\begin{array}{r}
\boxed{㉠}\ \ 1 \\
2\ \ 6\ \ 9 \\
+\ 1\ \ 4\ \ 2 \\
\hline
4\ \ 1\ \ 1
\end{array}
$$

(           ), (           )

**개념가이드**

십의 자리 계산에서 받아올림이 있으면 ❶□□의 자리에 ❷□□ 올려 계산합니다.

**[답]** ❶ 백 ❷ 받아

**대표 예제 02**

농장에서 귤을 오전에는 576개, 오후에는 532개 수확했습니다. 농장에서 오전과 오후에 수확한 귤은 모두 몇 개입니까?

(           )

**개념가이드**

오전과 ❶□□에 수확한 귤의 수의 ❷□□을 구합니다.

**[답]** ❶ 오후 ❷ 합

**대표 예제 03**

가장 큰 수와 가장 작은 수의 차를 구하시오.

| 450 | 586 | 313 |
|-----|-----|-----|

(           )

**개념가이드**

가장 큰 수인 ❶□□에서 가장 작은 수인 ❷□□을 뺍니다.

**[답]** ❶ 586 ❷ 313

**대표 예제 04**

재영이가 사용하고 남은 색 테이프의 길이는 몇 cm입니까?

> 재영: 길이가 4 m인 색 테이프 중에서 195 cm를 잘라 사용했어.

(           )

**개념가이드**

1 m = ❶□□ cm임을 이용하여 4 m는 몇 cm인지 구한 후 ❷□□ cm를 빼서 구합니다.

**[답]** ❶ 100 ❷ 195

넌 최고로 잘하고 있어!

**대표 예제 05**

☐ 안에 알맞은 수를 써넣으시오.

$$\boxed{\phantom{000}} - 102 = 445$$

**개념가이드**

■ $-102=445$에서 덧셈과 뺄셈의 관계를 이용하면
$445 + \boxed{❶} = \boxed{❷}$입니다.

[답] ❶ 102  ❷ ■

**대표 예제 06**

종이 2장에 세 자리 수를 한 개씩 써놓았
는데 한 장이 찢어져서 백의 자리 숫자만
보입니다. 두 수의 합이 543일 때 찢어진
종이에 적힌 세 자리 수를 구하시오.

$$\boxed{378} \qquad \boxed{1}$$

( )

**개념가이드**

두 수의 합인 $\boxed{❶}$에서 찢어지지 않은 종이에 적힌
세 자리 수인 $\boxed{❷}$을 뺍니다.

[답] ❶ 543  ❷ 378

**대표 예제 07**

다음 수보다 219만큼 더 작은 수를 구하
시오.

100이 6개, 10이 2개, 1이 3개인 수

( )

**개념가이드**

100이 6개, 10이 2개, 1이 3개인 수는 $\boxed{❶}$입니
다. 이 수에서 $\boxed{❷}$를 뺍니다.

[답] ❶ 623  ❷ 219

**대표 예제 08**

학교에서 병원까지 가는 두 가지 길 중에서
어느 길로 가는 것이 더 짧습니까?

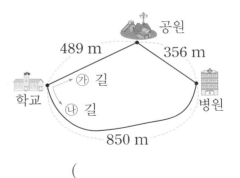

( )

**개념가이드**

㉮ 길로 가는 거리는 $\boxed{❶} + \boxed{❷}$으로 구할
수 있습니다.

[답] ❶ 489  ❷ 356

## 대표 예제 09

시각을 바르게 읽은 것에 ○표 하시오.

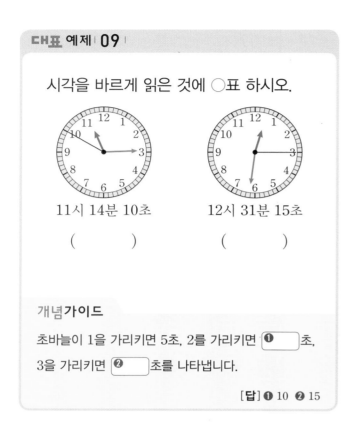

11시 14분 10초 　　　　 12시 31분 15초

(　　　　) 　　　　 (　　　　)

**개념가이드**

초바늘이 1을 가리키면 5초, 2를 가리키면 ❶ 초, 3을 가리키면 ❷ 초를 나타냅니다.

[답] ❶ 10 ❷ 15

## 대표 예제 11

젤리의 길이는 몇 cm 몇 mm입니까?

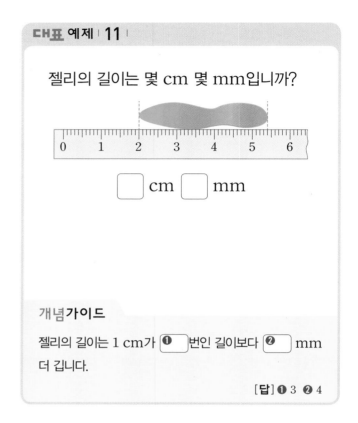

☐ cm ☐ mm

**개념가이드**

젤리의 길이는 1 cm가 ❶ 번인 길이보다 ❷ mm 더 깁니다.

[답] ❶ 3 ❷ 4

## 대표 예제 10

길이가 1 cm보다 짧은 것을 찾아 기호를 써 보시오.

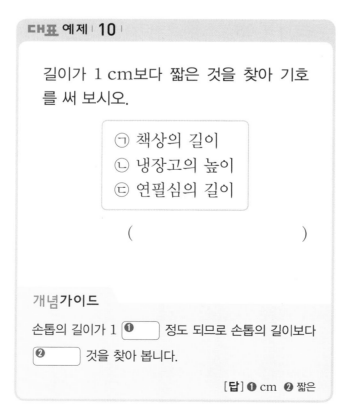

㉠ 책상의 길이
㉡ 냉장고의 높이
㉢ 연필심의 길이

(　　　　　　　)

**개념가이드**

손톱의 길이가 1 ❶ 정도 되므로 손톱의 길이보다 ❷ 것을 찾아 봅니다.

[답] ❶ cm ❷ 짧은

## 대표 예제 12

희정이가 1시간 30분 동안 수영을 했습니다. 수영을 끝낸 시각은 몇 시 몇 분인지 구하시오.

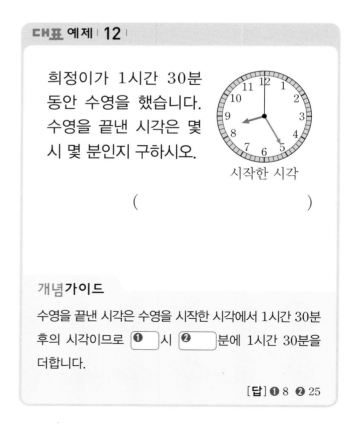

시작한 시각

(　　　　　　　)

**개념가이드**

수영을 끝낸 시각은 수영을 시작한 시각에서 1시간 30분 후의 시각이므로 ❶ 시 ❷ 분에 1시간 30분을 더합니다.

[답] ❶ 8 ❷ 25

항상 널 응원해!

## 대표 예제 | 13 |

수직선에서 화살표(↓)가 가리키는 곳의 길이는 몇 km 몇 m입니까?

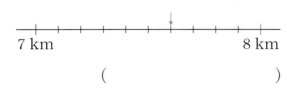

7 km          8 km

(                    )

**개념가이드**

화살표(↓)가 가리키는 곳은 [❶] km에서 작은 눈금 [❷] 칸 더 간 곳입니다.

[답] ❶ 7  ❷ 6

## 대표 예제 | 14 |

시간이 긴 것부터 차례대로 기호를 써 보시오.

㉠ 160초
㉡ 2분 50초
㉢ 190초

(                    )

**개념가이드**

1분 = [❶] 초임을 이용하여 2분 50초는 몇 [❷] 인지 나타낸 후 시간을 비교합니다.

[답] ❶ 60  ❷ 초

## 대표 예제 | 15 |

시계가 나타내는 시각에서 1시간 40분 20초 전의 시각은 몇 시 몇 분 몇 초입니까?

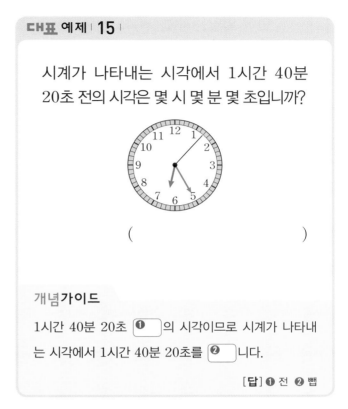

(                    )

**개념가이드**

1시간 40분 20초 [❶] 의 시각이므로 시계가 나타내는 시각에서 1시간 40분 20초를 [❷] 니다.

[답] ❶ 전  ❷ 뺍

## 대표 예제 | 16 |

학교에서 서점을 지나 지하철역까지 가는 거리는 몇 km 몇 m입니까?

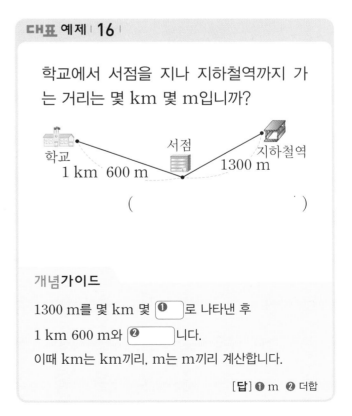

학교    서점    지하철역
1 km 600 m    1300 m

(                    )

**개념가이드**

1300 m를 몇 km 몇 [❶] 로 나타낸 후 1 km 600 m와 [❷] 니다.
이때 km는 km끼리, m는 m끼리 계산합니다.

[답] ❶ m  ❷ 더합

**1** ☐ 안에 알맞은 수를 써넣으시오.

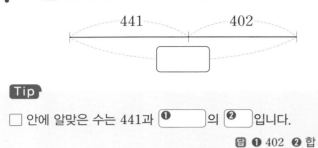

**Tip**

☐ 안에 알맞은 수는 441과 **❶**☐ 의 **❷**☐ 입니다.

답 ❶ 402 ❷ 합

**2** 삼각형의 세 변의 길이의 합은 687 cm입니다. 나머지 두 변의 길이의 합은 몇 cm입니까?

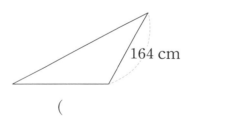

( )

**Tip**

삼각형의 세 변의 길이의 합인 **❶**☐ cm에서 한 변의 길이인 **❷**☐ cm를 빼면 나머지 두 변의 길이의 합을 구할 수 있습니다.

답 ❶ 687 ❷ 164

**3** ☐ 안에 들어갈 수 있는 가장 큰 세 자리 수를 구하시오.

$$\square + 316 < 524$$

( )

**Tip**

☐+316=**❶**☐ 에서 ☐ 안에 알맞은 수를 ▲라 할 때 ☐+316<524에서 ☐ 안에 들어갈 수 있는 수는 ▲보다 **❷**☐ 수입니다.

답 ❶ 524 ❷ 작은

**4** 행복 초등학교와 빛나 초등학교의 학생 수입니다. 행복 초등학교는 빛나 초등학교보다 학생 수가 몇 명 더 많습니까?

| | 여학생 수 | 남학생 수 |
|---|---|---|
| 행복 초등학교 | 321명 | 286명 |
| 빛나 초등학교 | 183명 | 237명 |

( )

**Tip**

행복 초등학교의 학생 수는 321+**❶**☐ , 빛나 초등학교의 학생 수는 183+**❷**☐ 을 계산합니다.

답 ❶ 286 ❷ 237

**5** 시간의 단위를 잘못 말한 사람은 누구입니까?

(                    )

**Tip**

시간보다 작은 단위는 분과 [❶] 이고 분보다 작은 단위는 [❷] 입니다.

답 ❶ 초 ❷ 초

**6** ☐ 안에 알맞은 수를 써넣으시오.

$$\begin{array}{r} 5\ \text{분}\quad 32\ \text{초} \\ +\ 4\ \text{분}\quad \boxed{\phantom{00}}\ \text{초} \\ \hline \boxed{\phantom{00}}\ \text{분}\quad 12\ \text{초} \end{array}$$

**Tip**

분은 분끼리, 초는 [❶] 끼리 더합니다.

이때 [❷] 초=1분으로 받아올림합니다.

답 ❶ 초 ❷ 60

**7** 길이가 356 mm인 색 테이프 중에서 120 mm를 잘라서 사용하였습니다. 남은 색 테이프의 길이는 몇 cm 몇 mm입니까?

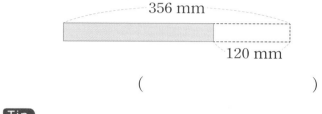

(                    )

**Tip**

남은 색 테이프의 길이는 [❶] mm에서 [❷] mm를 빼서 구한 후 몇 cm 몇 mm로 나타냅니다.

답 ❶ 356 ❷ 120

**8** 어느 날 해가 뜬 시각과 해가 진 시각을 나타낸 것입니다. 이날 낮과 밤의 길이는 각각 몇 시간 몇 분 몇 초입니까?

| 해가 뜬 시각 | 오전 6시 20분 50초 |
| --- | --- |
| 해가 진 시각 | 오후 7시 15분 40초 |

낮의 길이 (                    )

밤의 길이 (                    )

**Tip**

(낮의 길이)=(해가 진 시각) [❶] (해가 뜬 시각)

(밤의 길이)=24시간 [❷] (낮의 길이)

답 ❶ − ❷ −

# 누구나 만점 전략

## 01 ☐ 안에 알맞은 수를 써넣으시오.

(1)

```
    ☐  ☐
    1  5  6
 +  3  9  6
 ─────────
  ☐  ☐  ☐
```

(2)

```
  ☐  ☐  ☐
     6̸  2̸  1
 -   4  3  7
 ─────────
  ☐  ☐  ☐
```

## 02 ☐ 안에 알맞은 수를 써넣으시오.

235
↓
┌─────────────┐
│    +261     │
└─────────────┘
↓
☐

## 03 다음 수를 구하시오.

┌─────────────────────────┐
│ 384보다 132만큼 더 작은 수 │
└─────────────────────────┘

( )

## 04 계산 결과를 찾아 이어 보시오.

┌─────────────┐   ┌─────────────┐
│  531+194    │   │  972-244    │
└─────────────┘   └─────────────┘
       •                 •

   •          •          •

┌─────────┐ ┌─────────┐ ┌─────────┐
│   728   │ │   725   │ │   742   │
└─────────┘ └─────────┘ └─────────┘

## 05 윤수가 어제는 498 m 달렸고, 오늘은 어제보다 117 m 더 많이 달렸습니다. 윤수가 어제와 오늘 달린 거리는 모두 몇 m입니까?

▲ 출처 © TinnaPong/shutterstock

( )

▶정답 및 풀이 8쪽

**06** 길이를 자로 재어 ☐ 안에 알맞은 수를 써넣으시오.

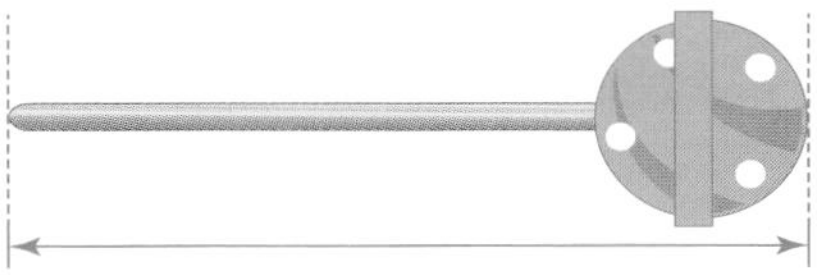

☐ cm ☐ mm=☐ mm

**07** 민주네 집에서 할머니 댁까지의 거리를 쓰고 읽어 보시오.

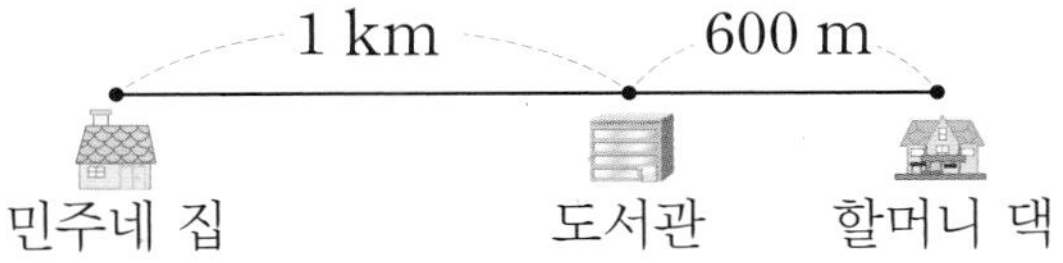


쓰기 ☐ km ☐ m

읽기 (　　　　　　　　)

**08** 잘못된 것을 찾아 기호를 써 보시오.

㉠ 2분 50초=170초
㉡ 210초=3분 20초

(　　　　　　　　)

**09** 시계가 나타내는 시각에서 6시가 되려면 몇 시간 몇 분 몇 초가 지나야 합니까?

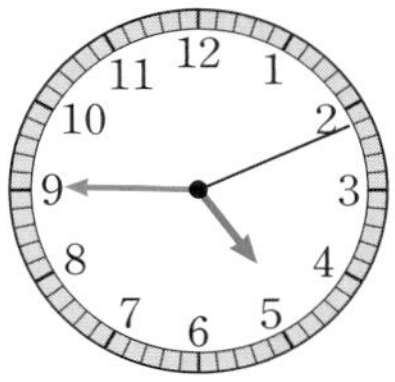


(　　　　　　　　)

**10** 민선이가 9시 50분 18초에 시작한 만화 영화를 30분 47초 동안 보았더니 만화 영화가 끝났습니다. 만화 영화가 끝난 시각을 시계에 나타내어 보시오.

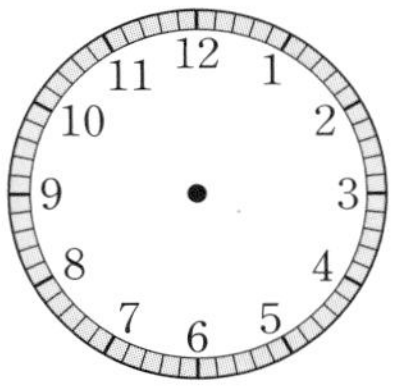


1 주

**창의 융합**

**1** 위 대화를 읽고 남학생이 먹은 과자는 몇 개인지 구하시오.

(           )

**2** 위 대화를 읽고 여학생의 발길이는 남학생의 발길이보다 몇 cm 몇 mm 더 긴지 구하시오.

(             )

코딩

**1** 화살표의 규칙에 따라 빈 곳에 알맞은 수를 써넣으시오.

| 화살표의 규칙 | |
| --- | --- |
| → | +165 |
| ← | −222 |
| ↓ | −128 |

341 → ☐
☐ ← ☐ ← (연결)

Tip

화살표를 따라가며 화살표의 규칙에 따라 계산합니다.

341에 165를 더하고 ❶ ☐ 을 뺀 후 ❷ ☐ 를 뺍니다.

[답] ❶ 128 ❷ 222

창의 융합

**2** ☐ 안에 알맞은 수를 써넣어 그림 일기를 완성하시오.

2000년 ○○월 ○○일  날씨 : ☺ ☁ ☂

오전 10시 33분 출발
오전 11시 48분 도착

우리 가족은 오늘 자동차를 타고 ☐시간 ☐분 동안 달려 할머니 댁에 도착했다.

마당에서 지렁이를 발견했는데 자로 길이를 재어 보니 ☐ cm ☐ mm였다.

☐시 ☐분 ☐초에 가족들과 맛있는 저녁 식사를 했다.

Tip

자동차를 타고 달린 시간은 11시 48분− ❶ ☐ 시 ❷ ☐ 분을 계산합니다.

[답] ❶ 10 ❷ 33

**3** 다음 도형의 꼭짓점의 수를 이용하여 세 자리 수를 만들었습니다. ㉠과 ㉡에서 만든 세 자리 수의 합을 구하시오.

| | 백의 자리 숫자 | 십의 자리 숫자 | 일의 자리 숫자 |
|---|---|---|---|
| ㉠ | (삼각형) | (사다리꼴) | (육각형) |
| ㉡ | (오각형) | (삼각형) | (육각형) |

(             )

**Tip**

도형의 꼭짓점의 수를 세어 ㉠과 ㉡에서 만든 세 자리 수를 구합니다.

㉠+㉡=❶[    ]+❷[    ]을 계산합니다.

[답] ❶ 346 ❷ 536

**4** 거울에 비친 시계의 모습입니다. 빈칸에 알맞은 시각을 써넣으시오.

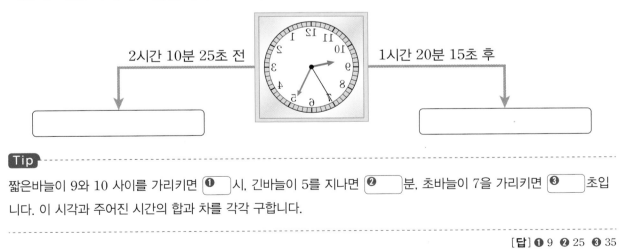

2시간 10분 25초 전

1시간 20분 15초 후

**Tip**

짧은바늘이 9와 10 사이를 가리키면 ❶[    ]시, 긴바늘이 5를 지나면 ❷[    ]분, 초바늘이 7을 가리키면 ❸[    ]초입니다. 이 시각과 주어진 시간의 합과 차를 각각 구합니다.

[답] ❶ 9 ❷ 25 ❸ 35

코딩

**5** 순서도에 따라 계산했을 때 끝에 나오는 시간은 몇 시간 몇 분 몇 초인지 구하시오.

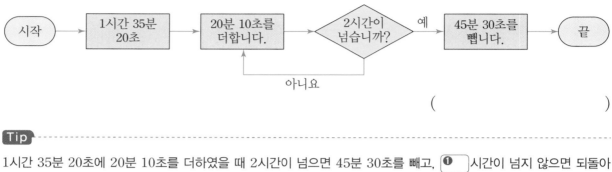

( )

**Tip**

1시간 35분 20초에 20분 10초를 더하였을 때 2시간이 넘으면 45분 30초를 빼고, ❶ ☐ 시간이 넘지 않으면 되돌아 가서 20분 ❷ ☐ 초를 더합니다.

[답] ❶ 2 ❷ 10

창의 융합

**6** 계산 결과가 같은 두 바다생물은 서로 공생 관계입니다. 공생 관계인 바다생물끼리 이어 보시오.

**Tip**

$854-323=$ ❶ ☐ 이므로 계산 결과가 ❷ ☐ 인 바다생물을 찾아 딱총새우와 이어 봅니다.

[답] ❶ 531 ❷ 531

**추론**

**7** 한 원 안에 있는 수들의 합은 모두 같습니다. ㉠과 ㉡에 알맞은 수를 각각 구하시오.

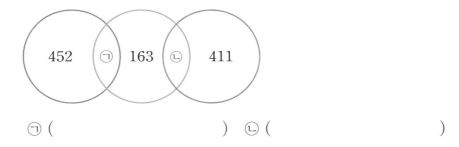

㉠ (                   )     ㉡ (                   )

**Tip**

$452+㉠=㉠+163+㉡$에서 ❶ 은 공통이므로 $452=163+㉡$입니다.

$㉠+163+㉡=㉡+411$에서 ❷ 은 공통이므로 $㉠+163=411$입니다.

[답] ❶ ㉠ ❷ ㉡

**코딩**

**8** 명령어에 따라 1분 동안 1 cm 5 mm씩 움직이는 점이 있습니다. 점이 시작에서 출발할 때 명령어에 따라 점이 지나가는 길을 나타내어 보시오.

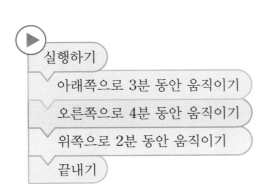

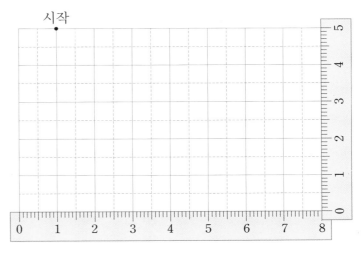

**Tip**

점이 2분 동안 움직이는 거리는 1 cm 5 mm ❶ 1 cm 5 mm = ❷ cm입니다.

점이 3분, 4분 동안 움직이는 거리를 각각 구합니다.

[답] ❶ + ❷ 3

# 나눗셈, 곱셈

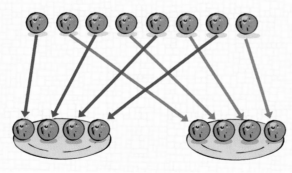

## 학습할 내용

❶ 똑같이 나누기, 곱셈과 나눗셈의 관계
❷ 나눗셈의 몫 구하기
❸ (몇십)×(몇), 올림이 없는 (몇십몇)×(몇)
❹ 올림이 있는 (몇십몇)×(몇)

## 개념 1 똑같이 나누기

[관련 단원] 나눗셈

● 귤 6개를 2명이 똑같이 나누어 먹으면 한 명이 3개씩 먹게 됩니다.

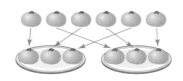

나눗셈식 $6 \div 2 = 3$　　읽기 6 나누기 2는 3과 같습니다.

● 밤 12개를 한 봉지에 4개씩 나누어 담으면 3봉지에 담을 수 있습니다.

→ 12에서 4씩 3번 빼면 0이 됩니다.

뺄셈식 $12 - 4 - 4 - 4 = 0$
나눗셈식 $12 \div 4 = 3$

사탕 10개를 5명이 똑같이 나누어 먹으면 한 명이 2개씩 먹게 됩니다. 이것을 나눗셈식 $10 \div 5 = $ ❶ 라고 쓰고, '10 나누기 5는 ❷ 와 같습니다.'라고 읽습니다.

$6 \div 2 = 3$에서 3은 6을 2로 나눈 몫, 6은 나누어지는 수, 2는 나누는 수라고 해요.

답 ❶ 2 ❷ 2

## 개념 2 곱셈과 나눗셈의 관계

[관련 단원] 나눗셈

● 곱셈식을 나눗셈식으로, 나눗셈식을 곱셈식으로 바꾸기

$$5 \times 4 = 20 \begin{cases} 20 \div 5 = 4 \\ 20 \div 4 = 5 \end{cases}$$

$$27 \div 3 = 9 \begin{cases} 3 \times 9 = 27 \\ 9 \times 3 = 27 \end{cases}$$

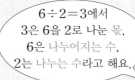

$4 \times 2 = $ ❶

$8 \div 4 = $ ❷

답 ❶ 8 ❷ 2

## 개념 3 나눗셈의 몫 구하기

[관련 단원] 나눗셈

● 곱셈식으로 구하기

$28 \div 4 = $ ▨ 의 몫은
$4 \times 7 = 28$로 구할 수 있습니다.

$28 \div 4 = $ ▨
$4 \times $ ▨ $= 28$ ⇨ ▨ $= 7$

● 곱셈구구로 구하기

$28 \div 4 = $ ▨
⇨ 4단 곱셈구구에서 곱이 28인 곱셈식을 찾습니다.

$28 \div 4 = 7$　　$4 \times 7 = 28$

$35 \div 7 = $ ▨ 의 몫을 구하려면 7단 곱셈구구에서 곱이 ❶ 인 곱셈식을 찾습니다.

$35 \div 7 = $ ❷　　$7 \times 5 = 35$

답 ❶ 35 ❷ 5

▶정답 및 풀이 10쪽

**1-1** 송편 15개를 접시 3개에 똑같이 나누어 담으려고 합니다. 접시 한 개에 송편을 몇 개씩 담을 수 있는지 ◯를 그려 알아보시오.

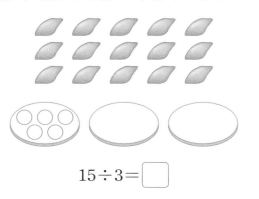

$$15 \div 3 = \boxed{\phantom{0}}$$

• **풀이** • 송편 15개를 접시 **❶** 개에 똑같이 나누어 담으면 접시 한 개에 송편을 **❷** 개씩 담을 수 있습니다.  답 **❶** 3 **❷** 5

**1-2** 감자 14개를 봉지 2개에 똑같이 나누어 담으려고 합니다. 봉지 한 개에 감자를 몇 개씩 담을 수 있는지 ◯를 그려 알아보시오.

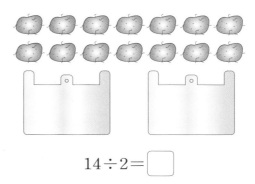

$$14 \div 2 = \boxed{\phantom{0}}$$

**2-1** 곱셈식을 나눗셈식으로 바꿔 보시오.

$$2 \times 9 = 18 \begin{cases} 18 \div 2 = \boxed{\phantom{0}} \\ 18 \div \boxed{\phantom{0}} = 2 \end{cases}$$

• **풀이** •

$2 \times 9 = 18$

$18 \div 2 = $ **❶**

$2 \times 9 = 18$

$18 \div$ **❷** $= 2$

답 **❶** 9 **❷** 9

**2-2** 곱셈식을 나눗셈식으로 바꿔 보시오.

$$5 \times 6 = 30 \begin{cases} 30 \div 5 = \boxed{\phantom{0}} \\ 30 \div \boxed{\phantom{0}} = 5 \end{cases}$$

**3-1** $40 \div 5$의 몫을 곱셈식으로 구하려고 합니다. ☐ 안에 알맞은 수를 써넣으시오.

$$40 \div 5 = \boxed{\phantom{0}} \qquad 5 \times \boxed{\phantom{0}} = 40$$

• **풀이** • $40 \div 5$의 몫은 곱셈식 $5 \times$ **❶** $=$ **❷** 을 이용하여 구할 수 있습니다.  답 **❶** 8 **❷** 40

**3-2** $27 \div 9$의 몫을 곱셈식으로 구하려고 합니다. ☐ 안에 알맞은 수를 써넣으시오.

$$27 \div 9 = \boxed{\phantom{0}} \qquad 9 \times \boxed{\phantom{0}} = 27$$

2 주

## 개념 ④ (몇십)×(몇), 올림이 없는 (몇십몇)×(몇)

[관련 단원] 곱셈

● 40×2의 계산 → (몇십)×(몇)은 (몇)×(몇)의 계산 결과에 0을 붙입니다.

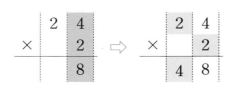

$$40 \times 2 = 80$$

0은 그대로
$4 \times 2 = 8$

```
    4  ⓪
  ×     2    0은 그대로
    8  0
```

● 24×2의 계산

$4 \times 2 = 8$
$$24 \times 2 = 48$$
$2 \times 2 = 4$

```
     2  4
  ×     2      ⇒
     8
```
```
     2  4
  ×     2
  4  8
```

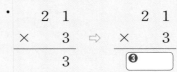

· 20×2는 2×2의 계산 결과인
4에 ❶ 을 붙입니다.
⇒ 20×2= ❷

```
     2  1              2  1
  ×     3      ⇒    ×     3
     3                ❸
```

답 ❶ 0  ❷ 40  ❸ 63

## 개념 ⑤ 올림이 1번 있는 (몇십몇)×(몇)

[관련 단원] 곱셈

● 43×3의 계산

$3 \times 3 = 9$
$$43 \times 3 = 129$$
$4 \times 3 = 12$

```
     4  3              4  3
  ×     3      ⇒    ×     3
     9             1  2  9
```

● 26×3의 계산

$6 \times 3 = 18$
$$26 \times 3 = 78$$
$2 \times 3 = 6, 6 + 1 = 7$

```
     2  6                1
  ×     3      ⇒       2  6
  1  8             ×     3
                      7  8
```

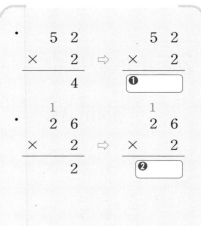

```
     5  2              5  2
  ×     2      ⇒    ×     2
     4                ❶
```

```
       1                1
     2  6              2  6
  ×     2      ⇒    ×     2
     2                ❷
```

답 ❶ 104  ❷ 52

## 개념 ⑥ 올림이 2번 있는 (몇십몇)×(몇)

[관련 단원] 곱셈

● 63×4의 계산

$3 \times 4 = 12$
$$63 \times 4 = 252$$
$6 \times 4 = 24, 24 + 1 = 25$

```
     6  3                1
  ×     4      ⇒       6  3
  1  2             ×     4
                   2  5  2
```

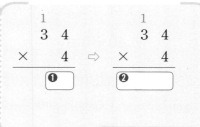

```
       1                1
     3  4              3  4
  ×     4      ⇒    ×     4
     ❶                ❷
```

답 ❶ 6  ❷ 136

**4**-1 ☐ 안에 알맞은 수를 써넣으시오.

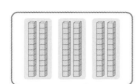

$2 \times 3 =$ ☐ $\Rightarrow 20 \times 3 =$ ☐

• **풀이** • 십 모형이 2개씩 3묶음이므로 십 모형은 ❶ ☐ 개입니다.

따라서 $20 \times 3 =$ ❷ ☐ 입니다.   답 ❶ 6  ❷ 60

**4**-2 ☐ 안에 알맞은 수를 써넣으시오.

$3 \times 3 =$ ☐ $\Rightarrow 30 \times 3 =$ ☐

**5**-1 보기 와 같이 계산하시오.

보기

$$\begin{array}{r} 2\ 5 \\ \times \quad 3 \\ \hline \end{array}$$

• **풀이** • $5 \times 3 =$ ❶ ☐ 에서 십의 자리 숫자 1을 올림하여 ❷ ☐ 의 자리 위에 작게 적어 계산합니다.   답 ❶ 15  ❷ 십

**5**-2 **5**-1의 보기 와 같이 계산하시오.

(1)
$$\begin{array}{r} 1\ 8 \\ \times \quad 3 \\ \hline \end{array}$$

(2)
$$\begin{array}{r} 4\ 7 \\ \times \quad 2 \\ \hline \end{array}$$

**6**-1 계산 결과를 찾아 이어 보시오.

$$\begin{array}{r} 5\ 3 \\ \times \quad 3 \\ \hline \end{array}$$
•

• 156

$$\begin{array}{r} 2\ 6 \\ \times \quad 6 \\ \hline \end{array}$$
•

• 159

• **풀이** •
$$\begin{array}{r} 5\ 3 \\ \times \quad 3 \\ \hline \end{array}$$ ❶ ☐

$$\begin{array}{r} {\scriptstyle 3} \\ 2\ 6 \\ \times \quad 6 \\ \hline \end{array}$$ ❷ ☐

답 ❶ 159  ❷ 156

**6**-2 계산 결과를 찾아 이어 보시오.

$$\begin{array}{r} 3\ 2 \\ \times \quad 8 \\ \hline \end{array}$$
•

• 256

$$\begin{array}{r} 7\ 2 \\ \times \quad 4 \\ \hline \end{array}$$
•

• 288

2
주

**예제 1** 나눗셈식 알아보기

나누어지는 수 ← 나누는 수 → 몫

**나눗셈식** $12 \div 3 = 4$

**읽기** 12 나누기 3은 4와 같습니다.

$12 \div 3 = 4$에서 4는 12를 3으로 나눈 몫,
**❶** 는 나누어지는 수, **❷** 은 나누는
수라고 합니다.

[답] ❶ 12 ❷ 3

**예제 2** 뺄셈식을 나눗셈식으로 나타내기

$$21 - 7 - 7 - 7 = 0$$
$$21 \div 7 = 3$$

21에서 7씩 **❶** 번 빼면 0이 되고, 나눗
셈식으로 나타내면 $21 \div 7 =$ **❷** 입니다.

[답] ❶ 3 ❷ 3

**예제 3** 나눗셈의 몫을 곱셈식으로 구하기

$63 \div 7 = \boxed{9}$     $7 \times \boxed{9} = 63$

$63 \div 7 = \boxed{9}$     $\boxed{9} \times 7 = 63$

$63 \div 7$의 몫은 곱셈식 $7 \times$ **❶** $= 63$ 또는
**❷** $\times 7 = 63$을 이용하여 구할 수 있습니다.

[답] ❶ 9 ❷ 9

**1** 몫이 8인 나눗셈식을 찾아 ○표 하시오.

| $40 \div 8 = 5$ | $24 \div 3 = 8$ |
|:---:|:---:|
| (　　　　　) | (　　　　　) |

**2** 그림을 보고 □ 안에 알맞은 수를 써넣으시오.

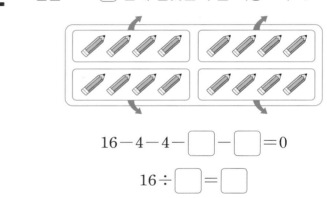

$$16 - 4 - 4 - \boxed{\phantom{0}} - \boxed{\phantom{0}} = 0$$

$$16 \div \boxed{\phantom{0}} = \boxed{\phantom{0}}$$

**3** 관계있는 것끼리 이어 보시오.

| 나눗셈식 | 곱셈식 | 몫 |
|:---:|:---:|:---:|
| $10 \div 2 = \boxed{\phantom{0}}$ • | • $8 \times 4 = 32$ • | • 7 |
| $32 \div 8 = \boxed{\phantom{0}}$ • | • $2 \times 5 = 10$ • | • 4 |
| $42 \div 6 = \boxed{\phantom{0}}$ • | • $7 \times 6 = 42$ • | • 5 |

**예제 4** 올림이 없는 (몇십몇)×(몇)

$$
\begin{array}{r}
4\ 1 \\
\times\quad 2 \\
\hline
2
\end{array}
\Rightarrow
\begin{array}{r}
4\ 1 \\
\times\quad 2 \\
\hline
8\ 2
\end{array}
$$

1과 2의 곱 **❶** 는 일의 자리에 쓰고, 4와 2의 곱 **❷** 은 십의 자리에 씁니다.

[답] **❶** 2 **❷** 8

**4** 그림을 보고 귤은 모두 몇 개인지 구하시오.

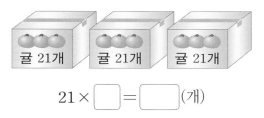

$$21 \times \boxed{\phantom{0}} = \boxed{\phantom{0}} \text{(개)}$$

**예제 5** 올림이 1번 있는 (몇십몇)×(몇)

$$
\begin{array}{r}
{}^{2}\ \ \\
1\ 9 \\
\times\quad 3 \\
\hline
7
\end{array}
\Rightarrow
\begin{array}{r}
{}^{2}\ \ \\
1\ 9 \\
\times\quad 3 \\
\hline
5\ 7
\end{array}
$$

$9 \times 3 = 27$에서 십의 자리 숫자 **❶** 를 올림하여 **❷** 의 자리 위에 작게 적어 계산합니다.

[답] **❶** 2 **❷** 십

**5** 잘못 계산한 곳을 찾아 바르게 계산하시오.

$$
\begin{array}{r}
2\ 8 \\
\times\quad 3 \\
\hline
6\ 4
\end{array}
\Rightarrow
\begin{array}{r}
2\ 8 \\
\times\quad 3 \\
\hline
\phantom{0}
\end{array}
$$

**예제 6** 올림이 2번 있는 (몇십몇)×(몇)

$46 \times 4$

┌ 십의 자리 계산: $40 \times 4 =$ 160
└ 일의 자리 계산: $6 \times 4 =$ 24

⇨ $46 \times 4 =$ 160 $+$ 24 $= 184$

$46 \times 4$를 십의 자리와 **❶** 의 자리로 나누어 곱한 후 두 곱을 **❷** .

[답] **❶** 일 **❷** 더합니다

**6** **보기** 와 같이 계산하시오.

**보기**

$$68 \times 2 - \begin{array}{l} 60 \times 2 = 120 \\ 8 \times 2 = \phantom{0}16 \end{array} - 136$$

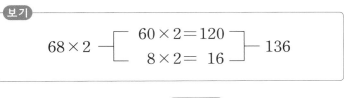

$$76 \times 3 - \begin{array}{l} 70 \times 3 = \boxed{\phantom{000}} \\ 6 \times 3 = \boxed{\phantom{000}} \end{array} - \boxed{\phantom{00}}$$

### 전략 1  묶음 수 구하기

[관련 단원] 나눗셈

예 빵 18개를 3개씩 묶으면 몇 묶음인지 구하기

(1) 빵 18개를 3개씩 묶어 보기

❶ ✦ ✦ ✦ ✦ ✦ ✦ ✦ ✦ ✦
✦ ✦ ✦ ✦ ✦ ✦ ✦ ✦ ✦

빵 18개를 3개씩 묶으면 모두 6묶음이 돼요.

(2) 빵 18개를 3개씩 묶으면 몇 묶음인지 나눗셈식으로 구하기

$18 \div 3 =$ ❷ □ $\Rightarrow$ ❸ □ 묶음

답  ❷ 6 ❸ 6

### 필수 예제 01

자두 28개를 4개씩 묶어 보고, 몇 묶음인지 나눗셈식으로 구하시오.

🍎🍎🍎🍎🍎🍎🍎🍎🍎🍎🍎🍎🍎🍎
🍎🍎🍎🍎🍎🍎🍎🍎🍎🍎🍎🍎🍎🍎

$28 \div 4 =$ □ $\Rightarrow$ □ 묶음
한 묶음의 수 ↗        ↘ 묶음의 수

풀이 | 자두 28개를 4개씩 묶으면 7묶음입니다.
 ⇨ 나눗셈식으로 구하면 28 ÷ 4 = 7(묶음)입니다.

---

### 확인 1-1

야구공 27개를 9개씩 묶어 보고, 몇 묶음인지 나눗셈식으로 구하시오.

⚾⚾⚾⚾⚾⚾⚾⚾⚾
⚾⚾⚾⚾⚾⚾⚾⚾⚾
⚾⚾⚾⚾⚾⚾⚾⚾⚾

$27 \div 9 =$ □ $\Rightarrow$ □ 묶음

### 확인 1-2

연필 24자루를 6자루씩 묶어 보고, 몇 묶음인지 나눗셈식으로 구하시오.

✏✏✏✏✏✏✏✏
✏✏✏✏✏✏✏✏
✏✏✏✏✏✏✏✏

$24 \div 6 =$ □ $\Rightarrow$ □ 묶음

## 전략 **2**   어떤 수 구하기   [관련 단원] 나눗셈

**예** 어떤 수를 3으로 나누었더니 몫이 9가 되었을 때 어떤 수 구하기

(1) 어떤 수를 ■라 하고 나눗셈식 세우기

$$■ \div 3 = \boxed{\text{❶}}$$

나누는 수 ←┘        └→ 몫

(2) 곱셈과 나눗셈의 관계를 이용하여 어떤 수 구하기

$$■ \div 3 = 9 \Rightarrow 3 \times \boxed{\text{❷}} = ■, \quad ■ = \boxed{\text{❸}}$$

나눗셈식 ■÷▲=●를
곱셈식 ▲×●=■로
나타낼 수 있어요.

답  ❶ 9  ❷ 9  ❸ 27

---

### 필수예제 | 02 |

어떤 수를 8로 나누었더니 몫이 6이 되었습니다. 어떤 수는 얼마입니까? (          )

① 32         ② 40              ③ 48

④ 56         ⑤ 64

풀이 | 어떤 수를 ☐라 하면 ☐÷8=6입니다.

⇨ ☐÷8=6에서 8×6=☐이므로 ☐=48입니다.

---

## 확인 **2**-1

어떤 수를 7로 나누었더니 몫이 6이 되었습니다.
어떤 수는 얼마인지 구하시오.

(                    )

## 확인 **2**-2

어떤 수를 9로 나누었더니 몫이 5가 되었습니다.
어떤 수는 얼마인지 구하시오.

(                    )

전략 **3**  계산 결과가 같은 것 찾기  [ 관련 단원] 곱셈

예 계산 결과가 같은 것 찾기

$$\bigcirc \ 10 \times 9 \qquad \bigcirc \ 40 \times 2 \qquad \bigcirc \ 30 \times 3$$

(1) 곱셈을 하여 계산 결과를 각각 구하기

$\bigcirc \ 10 \times 9 = 90$
$1 \times 9 = 9$

$\bigcirc \ 40 \times 2 = \boxed{❶} 0$
$4 \times 2 = 8$

$\bigcirc \ 30 \times 3 = \boxed{❷} 0$
$3 \times 3 = 9$

(몇십)×(몇)은 (몇)×(몇)의 계산 결과에 0을 붙여요.

(2) 계산 결과가 같은 것을 찾아 기호 쓰기: $\boxed{❸}$ , $\boxed{❹}$

답  ❶ 8  ❷ 9  ❸ ㉠  ❹ ㉢

**필수예제 | 03 |**

계산 결과가 같은 것을 찾아 기호를 써 보시오.

$$\bigcirc \ 20 \times 3 \qquad \bigcirc \ 30 \times 2 \qquad \bigcirc \ 10 \times 8$$

(1) 곱셈을 하여 계산 결과를 각각 구하시오.

$\bigcirc \ 20 \times 3 = \boxed{\phantom{00}}$ $\qquad$ $\bigcirc \ 30 \times 2 = \boxed{\phantom{00}}$ $\qquad$ $\bigcirc \ 10 \times 8 = \boxed{\phantom{00}}$

(2) 계산 결과가 같은 것을 찾아 기호를 써 보시오.

(   )

풀이 | (1) $\bigcirc \ 20 \times 3 = 60$ $\quad$ $\bigcirc \ 30 \times 2 = 60$ $\quad$ $\bigcirc \ 10 \times 8 = 80$
$2 \times 3 = 6$ $\qquad\qquad$ $3 \times 2 = 6$ $\qquad\qquad$ $1 \times 8 = 8$
(2) ㉠과 ㉡의 계산 결과가 60으로 같습니다.

## 확인 **3**-1

계산 결과가 같은 것을 찾아 기호를 써 보시오.

$$\bigcirc \ 30 \times 3 \qquad \bigcirc \ 20 \times 4 \qquad \bigcirc \ 10 \times 8$$

(   )

## 확인 **3**-2

계산 결과가 같은 것을 찾아 기호를 써 보시오.

$$\bigcirc \ 20 \times 2 \qquad \bigcirc \ 10 \times 4 \qquad \bigcirc \ 40 \times 2$$

(   )

**전략 4** 곱셈식에서 ☐ 안에 알맞은 수 구하기　　　　　　　[관련 단원] 곱셈

**예**

$$
\begin{array}{r}
3 \ 4 \\
\times \quad ㉠ \\
\hline
2 \ 7 \ 2
\end{array}
$$

곱셈식에서 ㉠에 알맞은 수 구하기

(1) $4 \times ㉠$의 결과 중에서 일의 자리 수가 2인 곱셈식 모두 구하기

$$4 \times 3 = 12, \ 4 \times \boxed{❶} = 32$$

(2) $34 \times ㉠$의 결과가 272일 때 ㉠에 알맞은 수 구하기

• ㉠=3일 때:
$$
\begin{array}{r}
1 \\
3 \ 4 \\
\times \quad 3 \\
\hline
\boxed{❷}
\end{array}
$$

• ㉠=8일 때:
$$
\begin{array}{r}
3 \\
3 \ 4 \\
\times \quad 8 \\
\hline
\boxed{❸}
\end{array}
$$

올림에 주의하여 계산해요.

따라서 ㉠에 알맞은 수는 $\boxed{❹}$ 입니다.

**답** ❶ 8 ❷ 102 ❸ 272 ❹ 8

---

**필수예제 | 04 |**

$$
\begin{array}{r}
2 \ 8 \\
\times \quad ㉠ \\
\hline
1 \ 9 \ 6
\end{array}
$$

곱셈식에서 ㉠에 알맞은 수는 어느 것입니까? (　　　　)

① 2　　　　② 4

③ 5　　　　④ 7

⑤ 8

**풀이** | $8 \times ㉠$의 결과 중에서 일의 자리 수가 6인 곱셈식: $8 \times 2 = 16, \ 8 \times 7 = 56$

• ㉠=2일 때: $28 \times 2 = 56$　　　　• ㉠=7일 때: $28 \times 7 = 196$

따라서 ㉠에 알맞은 수는 7입니다.

---

**확인 4**-1

곱셈식에서 ☐ 안에 알맞은 수를 써넣으시오.

$$
\begin{array}{r}
1 \ 6 \\
\times \quad \boxed{\phantom{0}} \\
\hline
1 \ 4 \ 4
\end{array}
$$

**확인 4**-2

곱셈식에서 ☐ 안에 알맞은 수를 써넣으시오.

$$
\begin{array}{r}
5 \ 4 \\
\times \quad \boxed{\phantom{0}} \\
\hline
3 \ 7 \ 8
\end{array}
$$

**[관련 단원] 나눗셈**

**1** $15 \div 5$의 몫을 구하는 데 이용할 수 있는 곱셈식을 찾아 ○표 하시오.

| $5 \times 2 = 10$ | $5 \times 3 = 15$ | $4 \times 3 = 12$ |

(      )    (      )    (      )

**Tip**
· $15 \div 5$의 몫은 $❶$ 단 곱셈구구를 이용하여 구합니다.
· $❷$ 단 곱셈구구에서 곱이 $❸$ 인 곱셈식을 찾습니다.

답 ❶ 5 ❷ 5 ❸ 15

**[관련 단원] 나눗셈**

**2** 포도 32송이를 바구니 한 개에 8송이씩 담으려고 합니다. 바구니는 몇 개 필요한지 두 가지 방법으로 구하시오.

**뺄셈식** _____

**나눗셈식** _____

답 _____

**Tip**
· 32에서 8씩 $❶$ 번 빼면 0이 됩니다.
· 필요한 바구니 수는 $32 \div ❷$ 의 몫과 같습니다.

답 ❶ 4 ❷ 8

**[관련 단원] 나눗셈**

**3** 3장의 수 카드 7 , 28 , 4 를 한 번씩만 사용하여 나눗셈식을 만들고, 나눗셈식을 곱셈식 2개로 바꿔 보시오.

**나눗셈식** _____

**곱셈식** _____

**Tip**
· 가장 $❶$ 수를 나머지 두 수 중 한 수로 나누는 나눗셈식을 만듭니다.
· 만든 나눗셈식을 곱셈과 $❷$ 의 관계를 이용하여 곱셈식 2개로 바꿉니다.

답 ❶ 큰 ❷ 나눗셈

[관련 단원] **곱셈**

**4** 곱셈식에서 ☐ 안의 수 2가 실제로 나타내는 수는 얼마입니까?

$$
\begin{array}{r}
\boxed{2}\phantom{00} \\
1\ 9 \\
\times\phantom{00} 3 \\
\hline
5\ 7
\end{array}
$$

( )

[관련 단원] **곱셈**

**5** 크기를 비교하여 ◯ 안에 >, =, <를 알맞게 써넣으시오.

$71 \times 8$ ◯ $560$

[관련 단원] **곱셈**

**6** ❶소율이네 집에 있는 견과류의 수입니다. ❷수가 땅콩 수의 2배인 견과류를 써 보시오.

❶
| 아몬드 | 땅콩 | 호두 | 밤 |
|---|---|---|---|
| 36개 | 14개 | 12개 | 28개 |

( )

■의 2배는 ■×2와 같아요.

## 2주 03일 필수 체크 전략 ❶

| 전략 1 | 한 묶음의 수 구하기 | [관련 단원] 나눗셈 |

**예** 꽃 25송이를 꽃병 5개에 똑같이 나누어 꽃으려면 꽃병 한 개에 몇 송이씩 꽃으면 되는지 구하기

(1) 나눗셈식을 세우고 곱셈식을 이용하여 몫 구하기

나눗셈식 $25 \div 5 = ★$     곱셈식 $5 \times \boxed{❶} = 25$

몫 $★ = \boxed{❷}$

(2) 꽃병 한 개에 $\boxed{❸}$ 송이씩 꽃으면 됩니다.

답 ❶ 5 ❷ 5 ❸ 5

### 필수 예제 01

딸기 32개를 접시 8개에 똑같이 나누어 담으려면 접시 한 개에 몇 개씩 담으면 되는지 구하시오.

나눗셈식 $32 \div 8 = ★$     곱셈식 $8 \times \boxed{\phantom{0}} = 32$

몫 $★ = \boxed{\phantom{0}}$

⇨ 접시 한 개에 $\boxed{\phantom{0}}$ 개씩 담으면 됩니다.

**풀이** | $32 \div 8$의 몫은 곱셈식 $8 \times 4 = 32$로 구할 수 있습니다.
⇨ 몫이 4이므로 접시 한 개에 4개씩 담으면 됩니다.

### 확인 1-1

주스 12병을 상자 2개에 똑같이 나누어 담으려면 상자 한 개에 몇 병씩 담으면 됩니까?

(         )

### 확인 1-2

토마토 21개를 봉지 7개에 똑같이 나누어 담으려면 봉지 한 개에 몇 개씩 담으면 됩니까?

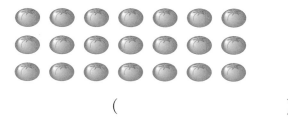

(         )

## 전략 **2**  나눗셈 활용하기

**예** 한 줄에 4개씩 6줄로 놓여 있는 공깃돌을 한 명에게 8개씩 주면 몇 명에게 나누어 줄 수 있는
지 구하기

(1) 곱셈식을 세워 전체 공깃돌의 수 구하기

$4 \times 6 = $ **❶** 이므로 전체 공깃돌의 수는 **❷** 개입니다.

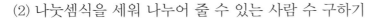
(한 줄에 놓여 있는 공깃돌 수) × (줄 수)

24÷8의 몫은
8×3=24를 이용해서
구하면 돼요.

(2) 나눗셈식을 세워 나누어 줄 수 있는 사람 수 구하기

$24 \div 8 = $ **❸** 이므로 **❹** 명에게 나누어 줄 수 있습니다.

(전체 공깃돌 수) ÷ (한 명에게 주는 공깃돌 수)

답  **❶** 24  **❷** 24  **❸** 3  **❹** 3

### 필수 예제 02

바둑돌이 한 줄에 2개씩 6줄로 놓여 있습니다. 이 바둑돌을 한 명에게 3개씩 주면 몇 명에
게 나누어 줄 수 있는지 구하시오.

(1) 전체 바둑돌은 몇 개입니까?

$2 \times 6 = $ (개)

(2) 바둑돌을 몇 명에게 나누어 줄 수 있습니까?

÷ 3 = (명)

풀이  (1) (한 줄에 놓여 있는 바둑돌 수) × (줄 수) = 2 × 6 = 12(개)
(2) (전체 바둑돌 수) ÷ (한 명에게 주는 바둑돌 수) = 12 ÷ 3 = 4(명)

### 확인 **2**-1

초콜릿이 한 봉지에 3개씩 6봉지 있습니다. 이 초
콜릿을 한 명에게 2개씩 주면 몇 명에게 나누어
줄 수 있는지 구하시오.

( )

### 확인 **2**-2

머리핀이 한 상자에 9개씩 4상자 있습니다. 이 머
리핀을 한 명에게 6개씩 주면 몇 명에게 나누어
줄 수 있는지 구하시오.

( )

**전략 3** ■배인 수 구하기

[관련 단원] 곱셈

예 지수 어머니의 나이 구하기

- 지수의 나이는 12살입니다.
- 지수 어머니의 나이는 지수의 나이의 3배입니다.

■의 3배는
■×3과 같아요.

(1) 지수 어머니의 나이를 구하는 곱셈식 알아보기

지수 어머니의 나이는 (지수의 나이)× ❶☐ 입니다.

(2) 지수 어머니의 나이는 몇 살인지 구하기

$12 \times 3 =$ ❷☐ 이므로 지수 어머니의 나이는 ❸☐ 살입니다.

답 ❶ 3 ❷ 36 ❸ 36

---

**필수예제 03**

석호 아버지의 나이는 몇 살인지 구하시오.

- 석호의 나이는 11살입니다.
- 석호 아버지의 나이는 석호의 나이의 4배입니다.

$11 \times \boxed{\phantom{0}} = \boxed{\phantom{0}}$ (살)

풀이 | 석호 아버지의 나이는 (석호의 나이)× 4입니다.
따라서 $11 \times 4 = 44$이므로 석호 아버지의 나이는 44살입니다.

---

**확인 3-1**

미주 삼촌의 나이는 몇 살인지 구하시오.

- 미주의 나이는 13살입니다.
- 미주 삼촌의 나이는 미주의 나이의 3배입니다.

( )

**확인 3-2**

연우 이모의 나이는 몇 살인지 구하시오.

- 연우의 나이는 14살입니다.
- 연우 이모의 나이는 연우의 나이의 2배입니다.

( )

## 전략 4  바르게 계산한 값 구하기

**예** 어떤 수에 2를 곱해야 할 것을 잘못하여 더했더니 29가 되었을 때 바르게 계산한 값 구하기

(1) 어떤 수를 ■라 하고 잘못 계산한 식 세우기

$$■+2=29$$

(2) 덧셈과 뺄셈의 관계를 이용하여 ■의 값 구하기

$$■+2=29,\ 29-2=■,\ ■=\boxed{①\qquad}$$

덧셈과 뺄셈의 관계는 다음과 같아요.

$$■+▲=●$$
$$●-▲=■$$

(3) 바르게 계산한 값 구하기

$$■×2=\boxed{②\qquad}×2=\boxed{③\qquad}$$

답 ❶ 27 ❷ 27 ❸ 54

### 필수예제 04

어떤 수에 3을 곱해야 할 것을 잘못하여 더했더니 45가 되었습니다. 바르게 계산하면 얼마입니까? (          )

① 124          ② 126          ③ 134

④ 136          ⑤ 523

풀이 │ 어떤 수를 □라 하면 □+3=45, 45-3=□, □=42입니다.
　　　따라서 바르게 계산하면 42×3=126입니다.

## 확인 4-1

어떤 수에 4를 곱해야 할 것을 잘못하여 더했더니 37이 되었습니다. 바르게 계산하면 얼마인지 구하시오.

(                    )

## 확인 4-2

어떤 수에 7을 곱해야 할 것을 잘못하여 더했더니 69가 되었습니다. 바르게 계산하면 얼마인지 구하시오.

(                    )

**2주 03일 필수 체크 전략 ❷**

[ 관련 단원 ] **나눗셈**

**1** ㉠을 ㉡으로 나눈 몫을 구하시오.

> ㉠ 24    ㉡ 3

(                    )

**Tip**

㉠은 24, ㉡은 3이므로 ❶ ⬚ ÷ ❷ ⬚
을 계산합니다.

답 ❶ 24  ❷ 3

[ 관련 단원 ] **나눗셈**

**2** 두 나눗셈의 몫을 비교하여 ○ 안에 >, =, <를 알맞게
써넣으시오.

$$64 \div 8 \bigcirc 63 \div 7$$

**Tip**

· $8 \times$ ❶ ⬚ $=64$를 이용하여 $64 \div 8$의
몫을 구합니다.
· $7 \times$ ❷ ⬚ $=63$을 이용하여 $63 \div 7$의
몫을 구합니다.

답 ❶ 8  ❷ 9

[ 관련 단원 ] **나눗셈**

**3** ❷남김없이 똑같이 나누어 가질 수 있는 경우를 말한 사람은
누구입니까?

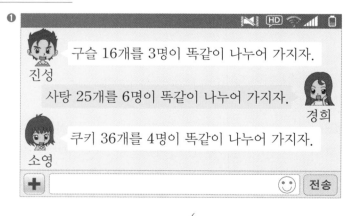

(                    )

**Tip**

❶ 진성: 구슬 16개를 3명에게 1개씩 차례
대로 나누어 주면 한 명이 ❶ ⬚ 개씩
가지고 ❷ ⬚ 개가 남습니다.
경희, 소영이의 경우도 알아봅니다.
❷ 남는 것이 없는 경우를 말한 사람을 찾
습니다.

답 ❶ 5  ❷ 1

[ 관련 단원 ] **곱셈**

**4** 연필 한 타는 12자루입니다. 연필 4타는 모두 몇 자루인지 구하시오.

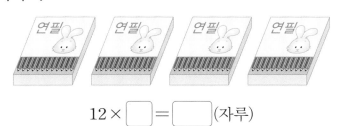

$$12 \times \boxed{\phantom{0}} = \boxed{\phantom{0}} \text{(자루)}$$

[ 관련 단원 ] **곱셈**

**5** 가장 큰 수와 가장 작은 수의 곱을 구하시오.

| 5 | 20 | 4 |
|---|----|---|

( )

[ 관련 단원 ] **곱셈**

**6** 3장의 수 카드 5 , 4 , 6 을 한 번씩만 사용하여 (몇십몇) × (몇)을 만들려고 합니다. 가장 작은 두 자리 수와 나머지 수로 곱셈식을 만들고 계산하시오.

$$\boxed{\phantom{0}}\boxed{\phantom{0}} \times \boxed{\phantom{0}}$$

( )

## 대표 예제 01

다음을 나눗셈식으로 써 보시오.

> 72 나누기 9는 8과 같습니다.

**나눗셈식**
_____

**개념가이드**

'■ 나누기 ▲는 ●와 같습니다.'를 나눗셈식으로 나타
내면 ■÷❶ = ❷ 입니다.

[답] ❶ ▲  ❷ ●

## 대표 예제 02

그림을 보고 ☐ 안에 알맞은 수를 써넣으
시오.

$6 \times 2 =$ ☐  $\begin{cases} 12 \div 6 = \boxed{\phantom{0}} \\ 12 \div 2 = \boxed{\phantom{0}} \end{cases}$

**개념가이드**

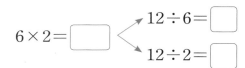

[답] ❶ ▲  ❷ ■

## 대표 예제 03

☐ 안에 알맞은 수를 써넣고, 나눗셈식으
로 나타내어 보시오.

> 고구마 48개를 한 상자에 8개씩 담으
> 면 ☐ 상자에 담을 수 있습니다.

**나눗셈식**
_____

**개념가이드**

(전체 고구마 수)÷(한 상자에 담는 고구마 수)
= ❶ ÷ ❷

[답] ❶ 48  ❷ 8

## 대표 예제 04

현우네 가족은 달걀을 하루에 6개씩 먹
으려고 합니다. 현우네 가족이 달걀 30개
를 모두 먹는 데 며칠이 걸립니까?

**식**
_____

**답**
_____

**개념가이드**

❶ ÷ ❷ 의 몫이 달걀을 모두 먹는 데 걸리는
날수입니다.

[답] ❶ 30  ❷ 6

넌 최고로 잘하고 있어!

## 대표 예제 05

다음 나눗셈과 몫이 같은 것을 찾아 기호를 써 보시오.

$$42 \div 6$$

㉠ $54 \div 9$    ㉡ $49 \div 7$

(                    )

**개념가이드**

$42 \div 6 \Rightarrow 6 \times 7 = 42$이므로 $42 \div 6 = 7$

$54 \div 9 \Rightarrow 9 \times$ ❶ $= 54$이므로 $54 \div 9 =$ ❷

$49 \div 7 \Rightarrow 7 \times$ ❸ $= 49$이므로 $49 \div 7 =$ ❹

[답] ❶ 6  ❷ 6  ❸ 7  ❹ 7

## 대표 예제 07

☐ 안에 들어갈 수 있는 수를 모두 찾아 ◯표 하시오.

$$35 \div 7 > \boxed{\phantom{0}}$$

( 1 , 2 , 3 , 4 , 5 , 6 )

**개념가이드**

$35 \div 7 =$ ❶ 이므로 ☐ 안에는 ❷ 보다 작은 수가 들어갑니다.

[답] ❶ 5  ❷ 5

## 대표 예제 06

밤 24개를 접시에 똑같이 나누어 놓으려고 합니다. 접시가 3개일 때와 4개일 때 한 접시에 놓을 수 있는 밤은 각각 몇 개인지 구하시오.

접시 3개에 놓을 때: 한 접시에 ☐ 개

접시 4개에 놓을 때: 한 접시에 ☐ 개

**개념가이드**

접시 3개에 놓을 때는 $24 \div$ ❶ , 접시 4개에 놓을 때는 $24 \div$ ❷ 를 계산합니다.

[답] ❶ 3  ❷ 4

## 대표 예제 08

3장의 수 카드 ☐2 , ☐4 , ☐5 중에서 2장을 골라 한 번씩만 사용하여 가장 큰 두 자리 수를 만들었습니다. 만든 두 자리 수를 6으로 나눈 몫을 구하시오.

(                    )

**개념가이드**

가장 큰 두 자리 수를 만들려면 높은 자리부터 큰 수를 차례대로 놓아야 하므로 가장 큰 수는 ❶ 입니다.

⇨ ❷ $\div 6$을 계산합니다.

[답] ❶ 54  ❷ 54

**대표** 예제 **09**

☐ 안에 알맞은 수를 써넣으시오.

$31 \times 6 = \boxed{\phantom{00}}$

$30 \times 6 = \boxed{\phantom{00}}$

$1 \times 6 = \boxed{\phantom{00}}$

**개념가이드**

31을 30과 **❶**☐로 나누어 각각 **❷**☐을 곱한 후 두 곱을 더합니다.

[답] ❶ 1 ❷ 6

**대표** 예제 **11**

오른쪽 곱셈식을 잘못 설명한 것에 ×표 하시오.

$$\begin{array}{r} 4\ 3 \\ \times \quad 2 \\ \hline 8\ 6 \end{array}$$

(1) 빨간색 숫자 6은 $3 \times 2 = 6$을 나타냅니다.　( 　 )

(2) 파란색 숫자 8은 일 모형 4개의 2배인 8을 나타냅니다.　( 　 )

**개념가이드**

빨간색 숫자 6은 **❶**☐ ×2를 계산한 값이고 파란색 숫자 8은 **❷**☐ 모형 4개의 2배인 **❸**☐을 나타냅니다.

[답] ❶ 3 ❷ 십 ❸ 80

**대표** 예제 **10**

그림을 보고 ☐ 안에 알맞은 수를 써넣으시오.

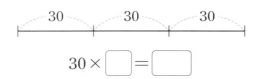

$30 \times \boxed{\phantom{0}} = \boxed{\phantom{00}}$

**개념가이드**

30씩 **❶**☐번 뛰었으므로 곱셈식으로 나타내면 $30 \times$ **❷**☐입니다.

[답] ❶ 3 ❷ 3

**대표** 예제 **12**

하은이는 동화책을 하루에 17쪽씩 읽습니다. 하은이가 4일 동안 읽은 동화책은 모두 몇 쪽입니까?

식 _____

답 _____

**개념가이드**

(하루에 읽는 쪽수)×(읽은 날수)
= **❶**☐ × **❷**☐로 곱셈식을 세웁니다.

[답] ❶ 17 ❷ 4

항상 널 응원해!

**대표 예제 13**

주어진 수와 2의 곱을 구하시오.

10이 1개, 1이 3개인 수

(                    )

**개념가이드**

10이 1개, 1이 3개인 수는 [❶] 입니다. 이 수에
[❷] 를 곱해 봅니다.

[답] ❶ 13  ❷ 2

**대표 예제 14**

다음 삼각형의 세 변의 길이는 모두 같습
니다. 삼각형의 세 변의 길이의 합은 몇
cm입니까?

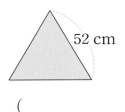

52 cm

(                    )

**개념가이드**

(세 변의 길이의 합)=(한 변의 길이)×(변의 수)
　　　　　　　　　=[❶] × [❷]

[답] ❶ 52  ❷ 3

**대표 예제 15**

㉠과 ㉡에 알맞은 수의 차를 구하시오.

40×㉠=80
10×㉡=70

(                    )

**개념가이드**

40×㉠=80에서 4×㉠=[❶] 입니다.

10×㉡=70에서 1×㉡=[❷] 입니다.

[답] ❶ 8  ❷ 7

**대표 예제 16**

지후네 학교 학생 100명이 버스를 타고
현장 학습을 가려고 합니다. 학생들이 버
스 한 대에 38명씩 2대에 탔습니다. 버스
에 타지 못한 학생은 몇 명입니까?

(                    )

**개념가이드**

버스에 탄 학생 수를 38×[❶] 로 구한 후 지후네 학교

학생 수 [❷] 명에서 버스에 탄 학생 수를 뺍니다.

[답] ❶ 2  ❷ 100

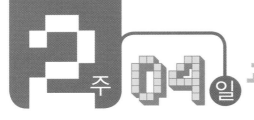
**1** 곱셈식 $2 \times 9 = 18$로 몫을 구할 수 있는 나 눗셈식을 모두 찾아 기호를 써 보시오.

> ㉠ $18 \div 2$
> ㉡ $12 \div 2$
> ㉢ $18 \div 9$

( )

**Tip**

$2 \times 9 = 18$의 곱해지는 수인 ❶ 와 곱하는 수인 ❷ 가 각각 몫이 되는 나눗셈식을 찾습니다.

답 ❶ 2 ❷ 9

**2** 다음 (두 자리 수)÷(한 자리 수)의 나눗셈 식에서 ★은 한 자리 수입니다. ☐ 안에 들 어갈 수 있는 수를 모두 구하시오.

> $3\square \div 4 = ★$

( )

**Tip**

❶ 단 곱셈구구에서 십의 자리 숫자가 ❷ 인 곱을 모 두 찾은 후 곱의 일의 자리 숫자를 구합니다.

답 ❶ 4 ❷ 3

**3** 젤리 28개를 7봉지에 똑같이 나누어 담은 후 한 봉지에 들어 있는 젤리를 2일 동안 똑 같이 나누어 먹으려고 합니다. 하루에 젤리 를 몇 개씩 먹어야 합니까?

( )

**Tip**

(한 봉지에 들어 있는 젤리 수)$=28 \div$ ❶

(하루에 먹어야 하는 젤리 수)
$=$(한 봉지에 들어 있는 젤리 수)$\div$ ❷

답 ❶ 7 ❷ 2

**4** 길이가 42 m인 도로의 한쪽에 처음부터 끝 까지 6 m 간격으로 나무를 심으려고 합니 다. 나무는 모두 몇 그루 필요합니까?
(단, 나무의 두께는 생각하지 않습니다.)

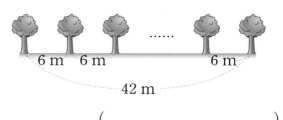

( )

**Tip**

(나무와 나무 사이의 간격 수)$=42 \div$ ❶

(필요한 나무 수)$=$(간격 수)$+$ ❷

답 ❶ 6 ❷ 1

**5** 두 수의 곱을 구하시오.

| 11 | 8 |

(          )

**Tip**

두 수의 곱 ❶ × ❷ 을 계산합니다.

답 ❶ 11 ❷ 8

**6** 초콜릿이 한 상자에 9개씩 4줄로 놓여 있습니다. 7상자에 들어 있는 초콜릿은 모두 몇 개입니까?

(          )

**Tip**

한 상자에 들어 있는 초콜릿 수를 9 × ❶ 로 구한 후 이 수에 ❷ 을 곱하여 7상자에 들어 있는 초콜릿 수를 구합니다.

답 ❶ 4 ❷ 7

**7** ☐ 안에 들어갈 수 있는 수를 모두 찾아 ◯표 하시오.

$92 \times$ ☐ $< 368$

( 2 , 3 , 4 , 5 , 6 , 7 )

**Tip**

☐ 안에 2부터 차례대로 넣어 계산했을 때 계산 결과가 ❶ 보다 작은 경우를 모두 찾습니다.

⇨ $92 \times 2 =$ ❷ , $92 \times 3 =$ ❸ ……

답 ❶ 368 ❷ 184 ❸ 276

**8** 길이가 29 cm인 색 테이프 4장을 그림과 같이 8 cm씩 겹치게 이어 붙였습니다. 이어 붙인 전체 색 테이프의 길이는 몇 cm입니까?

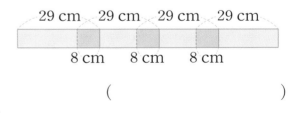

(          )

**Tip**

색 테이프 4장의 길이의 합인 $29 \times$ ❶ 의 값을 구한 후 겹쳐진 부분의 길이의 합인 $8 \times$ ❷ 의 값을 뺍니다.

답 ❶ 4 ❷ 3

# 2주 누구나 **만점 전략**

**01** 딸기 20개를 한 명에게 5개씩 나누어 주려고 합니다. 몇 명에게 나누어 줄 수 있는지 구하시오.

$$20 \div 5 = \boxed{\phantom{0}} \text{(명)}$$

**02** $27 \div 9 = 3$에 대해 <u>잘못</u> 설명한 것을 찾아 기호를 써 보시오.

> ㉠ 뺄셈식으로 나타내면
> $27 - 9 - 9 - 9 = 0$입니다.
> ㉡ 9는 27을 3으로 나눈 몫입니다.
> ㉢ 지우개 27개를 9명이 똑같이 나누어 가지면 한 명이 3개씩 가지게 됩니다.

( )

**03** 몫이 9인 나눗셈식을 말한 사람은 누구입니까?

$56 \div 8$   민희

$45 \div 5$   재영

( )

**04** ☐ 안에 알맞은 수를 구하시오.

$$36 \div \boxed{\phantom{0}} = 9$$

( )

**05** 남학생 15명과 여학생 12명이 있습니다. 이 학생들을 3명씩 모둠을 만들면 몇 모둠이 됩니까?

( )

**06** 계산해 보시오.

(1)
$$
\begin{array}{r}
5\ 1 \\
\times\quad 4 \\
\hline
\end{array}
$$

(2)
$$
\begin{array}{r}
4\ 8 \\
\times\quad 2 \\
\hline
\end{array}
$$

**07** 빈칸에 알맞은 수를 써넣으시오.

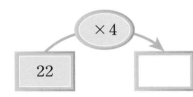

**08** 계산 결과가 큰 것부터 차례로 기호를 써 보시오.

> ㉠ 49×5　㉡ 67×4　㉢ 88×3

( 　　　　　 )

**09** 달팽이가 10분에 15 cm씩 일정한 빠르기로 기어갑니다. 이 달팽이가 1시간 동안 기어간 거리는 몇 cm입니까?

식 _____

답 _____

**10** ☐ 안에 알맞은 수를 써넣으시오.

$$
\begin{array}{r}
\boxed{\phantom{0}}\ 3 \\
\times\quad \boxed{\phantom{0}} \\
\hline
3\ 6\ 5 \\
\end{array}
$$

# 주 창의·융합·코딩 **전략 ❶**

**1** 위 대화를 읽고 오공이가 지금 바나나를 몇 개 먹었으면 되는 것인지 구하시오.

(                    )

**2** 위 대화를 읽고 여학생이 모은 중국음식점 쿠폰은 몇 장인지 구하시오.

( )

## 2주 창의·융합·코딩 전략 ❷

**코딩**

**1** 순서도에 따라 계산했을 때 끝에 나오는 수를 구하시오.

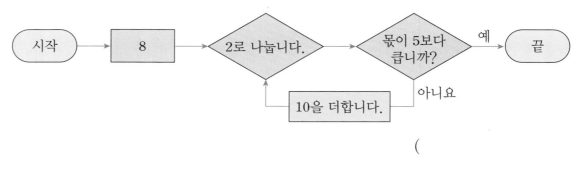

시작 → 8 → 2로 나눕니다. → 몫이 5보다 큽니까? → 예 → 끝

아니요 → 10을 더합니다.

(              )

**Tip**

8÷2의 몫이 5보다 크면 '끝'으로 가고 5보다 작으면 [❶   ]을 더합니다.

10을 더한 수를 다시 [❷   ]로 나누어 몫을 구하고 몫이 5보다 클 때까지 반복합니다.

[답] ❶ 10   ❷ 2

**창의 융합**

**2** 세영, 민아, 준수는 공을 2개씩 가지고 있습니다. 공에 적힌 수 중에서 큰 수를 작은 수로 나눈 몫만큼 아래 그림의 칸을 이동했을 때 세 사람의 위치를 찾아 이름을 쓰시오.

세영 (15) (3)

민아 (5) (35)

준수 (4) (32)

**Tip**

세영이의 공에 적힌 두 수 중에서 큰 수는 15, 작은 수는 3이므로 15÷[❶   ]=[❷   ]입니다.

따라서 그림에서 [❸   ]칸만큼 이동한 곳이 세영이의 위치입니다.

[답] ❶ 3   ❷ 5   ❸ 5

**창의 융합**

**3** 어머니께서 시장에서 사 오신 채소입니다. ☐ 안에 사 오신 채소의 개수를 써넣으시오.

〈사 오신 채소〉

감자: 10개

버섯: 감자 수의 2배

고추: 버섯 수의 3배

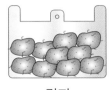
감자
☐ 개

버섯
☐ 개

고추
☐ 개

**Tip**

(버섯 수)=(감자 수)×**❶**☐로 구하고, (고추 수)=(버섯 수)×**❷**☐으로 구합니다.

[답] ❶ 2 ❷ 3

**문제 해결**

**4** 힌트의 곱셈을 계산하여 숫자 퍼즐의 빈칸을 완성해 보시오.

| 가로 힌트 | 세로 힌트 |
|---|---|
| (→) | (↓) |
| ① 28 × 4 | ② 68 × 2 |
| ③ 53 × 5 | ④ 76 × 7 |
| ⑤ 36 × 8 | ⑥ 32 × 4 |

| ①1 | ②1 | 2 | |
|---|---|---|---|
| | 3 | | |
| ③ 6 | | ④ | ⑥ |
| | | | |
| | | ⑤ | |

**Tip**

가로 힌트에서 ① 28 × 4 = **❶**☐ 이므로 가로로 한 칸에 숫자 하나씩 써넣습니다.

세로 힌트에서 ② 68 × 2 = **❷**☐ 이므로 세로로 한 칸에 숫자 하나씩 써넣습니다.

[답] ❶ 112 ❷ 136

# 창의·융합·코딩 전략 ❷

**추론**

**5** 규칙에 따라 모양을 그리고 모양 안에 수를 써넣고 있습니다. ☐ 안에 알맞은 모양을 그리고
수를 써넣으시오.

**Tip**

모양을 보면 ◯, **❶** 가 반복되는 규칙입니다.

수를 보면 $1 \times 3 = 3$, $3 \times 3 = 9$, $9 \times 3 = 27$로 **❷** 배로 늘어나는 규칙입니다.

[답] ❶ △ ❷ 3

**문제 해결**

**6** 갈림길 앞에 적힌 나눗셈식을 곱셈식으로 바르게 나타낸 길을 따라가야 밖으로 통하는 출구가
나온다고 합니다. $24 \div 3 = 8$에서 시작하여 밖으로 통하는 출구를 찾아 써 보시오.

(                                    )

**Tip**

$24 \div 3 = 8$을 곱셈식으로 바꾸면 $3 \times$ **❶** $= 24$ 또는 **❷** $\times 3 = 24$입니다.

[답] ❶ 8 ❷ 8

**7** 성냥개비를 사용하여 다음과 같이 사각형을 여러 개 만들고 있습니다. 사각형을 15개 만들었을 때 사용한 성냥개비는 모두 몇 개입니까?

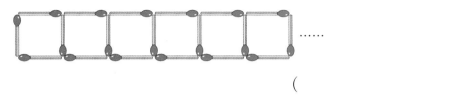

(                    )

**Tip**

사각형 1개를 만드는 데 필요한 성냥개비는 ❶ 개입니다.

사각형이 1개씩 늘어날 때마다 성냥개비를 ❷ 개씩 더 사용합니다.

[답] ❶ 4  ❷ 3

**8** 파란색 상자와 빨간색 상자에 공 2개를 넣으면 상자마다 규칙에 따라 새로운 공이 나옵니다. 규칙을 찾아 새로운 공에 알맞은 수를 써넣으시오.

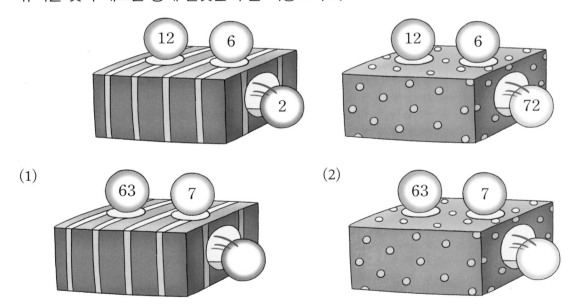

(1)                                    (2)

**Tip**

파란색 상자에서 $12 \div 6 = $ ❶ 이므로 큰 수를 작은 수로 나누는 규칙입니다.

빨간색 상자에서 $12 \times 6 = $ ❷ 이므로 두 수를 곱하는 규칙입니다.

[답] ❶ 2  ❷ 72

# 3주

# 평면도형,
# 분수와 소수

너 종이를 접어서 직각을 만들 수 있어?

직각이 뭐야?

ZZZ

직각은 곧은 선 2개로 이루어진 반듯한 모양의 각이야.

그럼 종이로 직각을 어떻게 만들 수 있어?

그거야 쉬워.

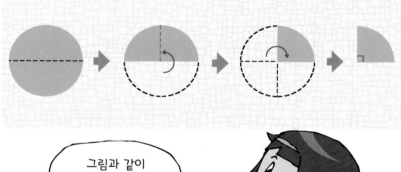

그림과 같이 종이를 반듯하게 두 번 접으면 돼.

나는 직각 삼각자에서 직각을 찾았어.

오~ 맞아!

우꺄!

첵!

공짜가 없는 오공이야.

**개념 1** 선의 종류, 각, 직각

[관련 단원] 평면도형

| | |
|---|---|
| 선분 | 두 점을 곧게 이은 선 <br> ㄱ ————— ㄴ ⇨ 선분 ㄱㄴ 또는 선분 ㄴㄱ <br> 점 ㄱ과 점 ㄴ을 이은 선분 |
| 반직선 | 한 점에서 시작하여 한쪽으로 끝없이 늘인 곧은 선 <br> ㄱ ————— ㄴ 점 ㄱ에서 시작하여 점 ㄴ을 지나는 반직선 ⇨ 반직선 ㄱㄴ <br> ㄱ ————— ㄴ 점 ㄴ에서 시작하여 점 ㄱ을 지나는 반직선 ⇨ 반직선 ㄴㄱ |
| 직선 | 선분을 양쪽으로 끝없이 늘인 곧은 선 <br> ——— ㄱ —— ㄴ ——— ⇨ 직선 ㄱㄴ 또는 직선 ㄴㄱ <br> 점 ㄱ과 점 ㄴ을 지나는 직선 |

| 각 | 직각 |
|---|---|
| 한 점에서 그은 두 반직선으로 이루어진 도형 <br> 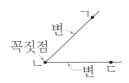 <br> 꼭짓점, 변, 변 <br> ⇨ 각 ㄱㄴㄷ 또는 각 ㄷㄴㄱ <br> 각의 꼭짓점이 가운데에 오도록 읽습니다. | 종이를 반듯하게 두 번 접었을 때 생기는 각 <br> 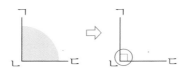 <br> 직각 ㄱㄴㄷ을 나타낼 때에는 꼭짓점 ㄴ에 ⌐ 표시를 합니다. |

- 두 점을 곧게 이은 선을 ❶ □ 이라고 합니다.
- 선분을 양쪽으로 끝없이 늘인 곧은 선을 ❷ □ 이라고 합니다.
- 한 점에서 그은 두 반직선으로 이루어진 도형을 ❸ □ 이라고 합니다.

선분은 끝이 있지만 직선은 끝이 없어요.

각의 꼭짓점은 반직선이 시작되는 점이에요.

**답** ❶ 선분 ❷ 직선 ❸ 각

**개념 2** 직각삼각형, 직사각형, 정사각형

[관련 단원] 평면도형

- **직각삼각형**: 한 각이 직각인 삼각형
- **직사각형**: 네 각이 모두 직각인 사각형

  → 정사각형은 직사각형이라고 할 수 있지만 직사각형은 정사각형이라고 할 수 없습니다.

- **정사각형**: 네 각이 모두 직각이고 네 변의 길이가 모두 같은 사각형

- 한 각이 직각인 삼각형을 ❶ □ 이라고 합니다.
- 네 각이 모두 직각이고 네 변의 길이가 모두 같은 사각형을 ❷ □ 이라고 합니다.

**답** ❶ 직각삼각형 ❷ 정사각형

## 개념 기초 확인

▶정답 및 풀이 17쪽

**1-1** 반직선 ㄱㄴ을 찾아 ○표 하시오.

ㄱ     ㄴ     ㄱ     ㄴ

(     )     (     )

• **풀이** • 반직선 ㄱㄴ은 점 **❶** 에서 시작하여 점 **❷** 을 지나는 반직선
입니다.

目 ❶ ㄱ ❷ ㄴ

**1-2** 반직선 ㄷㄹ을 찾아 ○표 하시오.

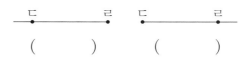

(     )     (     )

**2-1** 각을 바르게 읽은 것을 찾아 기호를 써 보시오.

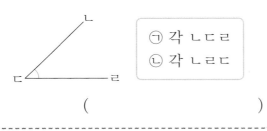

ㄱ 각 ㄴㄷㄹ
ㄴ 각 ㄴㄹㄷ

(     )

• **풀이** • 각을 읽을 때에는 각의 꼭짓점이 가운데에 오도록 읽어야 하므로
각 **❶** 또는 각 **❷** 이라고 읽습니다.

目 ❶ ㄴㄷㄹ ❷ ㄹㄷㄴ

**2-2** 각을 바르게 읽은 사람은 누구입니까?

수아: 각 ㅂㅁㅅ
진규: 각 ㅁㅂㅅ

(     )

**3-1** 직사각형을 찾아 기호를 써 보시오.

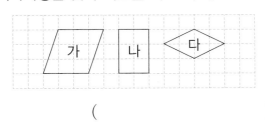

(     )

• **풀이** • 직사각형은 네 각이 모두 **❶** 인 사각형입니다. 따라서 직사
각형은 **❷** 입니다.

目 ❶ 직각 ❷ 나

**3-2** 직사각형을 찾아 기호를 써 보시오.

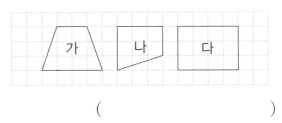

(     )

**개념 3** 분수 알아보기

[관련 단원] 분수와 소수

○ **분수 알아보기**

전체를 똑같이 3으로 나눈 것 중의 2

**쓰기** $\dfrac{2}{3}$  **읽기** 3분의 2

분수: $\dfrac{1}{2}$, $\dfrac{2}{3}$와 같은 수

$\dfrac{1}{2}$ ← 분자
$\phantom{\dfrac{1}{2}}$ ← 분모

○ **분모가 같은 분수의 크기 비교하기**

**예** $4>3$ ⇨ $\dfrac{4}{5}$ $>$ $\dfrac{3}{5}$ → 분모가 같은 분수는 분자가 클수록 더 큰 분수입니다.

○ **단위분수의 크기 비교하기**

단위분수: 분수 중에서 $\dfrac{1}{2}$, $\dfrac{1}{3}$, $\dfrac{1}{4}$, $\dfrac{1}{5}$……과 같이 분자가 1인 분수

**예** $5>4$ ⇨ $\dfrac{1}{5}$ $<$ $\dfrac{1}{4}$ → 단위분수는 분모가 작을수록 더 큰 분수입니다.

전체를 똑같이 ■로 나눈 것 중의 ▲를 $\dfrac{▲}{■}$라 쓰고 ■분의 ▲라고 읽어요.

· $\dfrac{1}{3}$, $\dfrac{3}{4}$과 같은 수를 **❶** 라고 합니다.

· 분모가 같은 분수는 **❷** 가 클수록 더 큰 분수입니다.

· 단위분수는 **❸** 가 클수록 더 작은 분수입니다.

**답** ❶ 분수 ❷ 분자 ❸ 분모

---

**개념 4** 소수 알아보기

[관련 단원] 분수와 소수

○ **소수 알아보기**

(1) 소수: 0.1, 0.2, 0.3과 같은 수

(2) 소수점: 소수 0.1, 0.2, 0.3에서 '.'

(3) 3과 0.4만큼 ⇨ **쓰기** 3.4  **읽기** 삼 점 사

○ **소수의 크기 비교하기**

① 소수점 왼쪽 부분의 크기가 큰 수가 더 큽니다.

**예** $4.7$ $>$ $2.6$
$\phantom{4.}$└ $4>2$ ┘

② 소수점 왼쪽 부분이 같으면 소수점 오른쪽 부분의 크기가 큰 수가 더 큽니다.

**예** $3.1$ $<$ $3.5$
$\phantom{3.}$└ $1<5$ ┘

분수 $\dfrac{1}{10}$을 0.1이라 쓰고 영 점 일이라고 읽어요.

· 0.1, 0.2, 0.3과 같은 수를 **❶** 라고 합니다.

· 2와 0.5만큼을 **❷** 라 쓰고 **❸** 라고 읽습니다.

**답** ❶ 소수 ❷ 2.5 ❸ 이 점 오

**4-1** ☐ 안에 알맞은 수를 써넣으시오.

부분 은 전체 를 똑같이 4로

나눈 것 중의 ☐ 이므로 ☐/☐ 입니다.

• **풀이** • (부분의 수)/(전체를 똑같이 나눈 수) = ❶/❷     답 ❶ 2 ❷ 4

**4-2** ☐ 안에 알맞은 수를 써넣으시오.

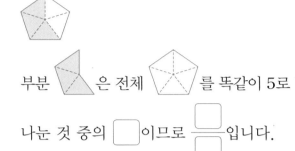

부분 은 전체 를 똑같이 5로

나눈 것 중의 ☐ 이므로 ☐/☐ 입니다.

**5-1** 같은 것끼리 이어 보시오.

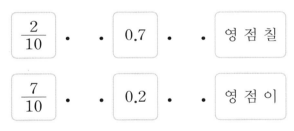

$\frac{2}{10}$ • • 0.7 • • 영 점 칠

$\frac{7}{10}$ • • 0.2 • • 영 점 이

• **풀이** • $\frac{2}{10}$ 는 소수로 0.2라 쓰고 ❶ _____ 라고 읽습니다.

$\frac{7}{10}$ 은 소수로 ❷ _____ 이라 쓰고 영 점 칠이라고 읽습니다.

답 ❶ 영 점 이 ❷ 0.7

**5-2** 같은 것끼리 이어 보시오.

$\frac{4}{10}$ • • 0.4 • • 영 점 구

$\frac{9}{10}$ • • 0.9 • • 영 점 사

**6-1** 두 수의 크기를 비교하여 ○ 안에 >, =, <를 알맞게 써넣으시오.

(1) $\frac{2}{4}$ ○ $\frac{3}{4}$     (2) 0.5 ○ 0.3

• **풀이** • (1) 분모가 같으므로 분자의 크기를 비교합니다.

2<3이므로 $\frac{2}{4}$ ○❶ $\frac{3}{4}$ 입니다.

(2) 소수점 왼쪽 부분이 같으므로 소수점 오른쪽 부분의 크기를 비교합니다.

5>3이므로 0.5 ○❷ 0.3입니다.     답 ❶ < ❷ >

**6-2** 두 수의 크기를 비교하여 ○ 안에 >, =, <를 알맞게 써넣으시오.

(1) $\frac{5}{6}$ ○ $\frac{4}{6}$     (2) 0.6 ○ 0.7

3

주

## 3주 4일 개념 돌파 전략 ❷

**예제 1** 선분, 반직선, 직선

선분: 두 점을 곧게 이은 선
반직선: 한 점에서 시작하여 한쪽으로 끝없이 늘인 곧은 선
직선: 선분을 양쪽으로 끝없이 늘인 곧은 선

양쪽에 끝점이 있는 선은 선분, 한쪽에만 끝점이 있는 선은 ❶〔         〕, 양쪽 끝이 정해지지 않은 선은 ❷〔       〕입니다.

[답] ❶ 반직선 ❷ 직선

**1** 관계있는 것끼리 이어 보시오.

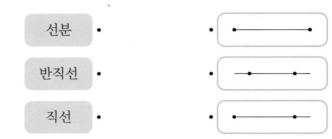

**예제 2** 직각삼각형

직각삼각형: 한 각이 직각인 삼각형

한 각이 직각인 삼각형을 ❶〔         〕이라고 합니다.
직각삼각형에는 직각이 ❷〔   〕개 있습니다.

[답] ❶ 직각삼각형 ❷ 1

**2** 삼각형에서 직각을 찾아 ⌐ 표시를 하고, 삼각형의 이름을 써 보시오.

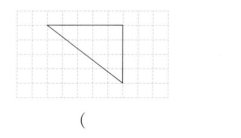

(                    )

**예제 3** 정사각형

정사각형: 네 각이 모두 직각이고 네 변의 길이가 모두 같은 사각형

정사각형에는 직각이 ❶〔   〕개 있고
길이가 같은 변이 ❷〔   〕개 있습니다.

[답] ❶ 4 ❷ 4

**3** 모눈종이에 주어진 선분을 한 변으로 하는 정사각형을 완성하시오.

**예제 4** 분수로 나타내기

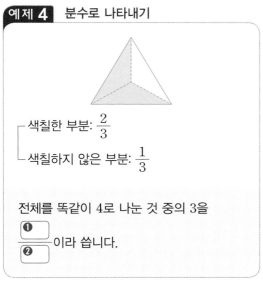

┌ 색칠한 부분: $\dfrac{2}{3}$

└ 색칠하지 않은 부분: $\dfrac{1}{3}$

전체를 똑같이 4로 나눈 것 중의 3을

$\dfrac{❶}{❷}$ 이라 씁니다.

[답] ❶ 3 ❷ 4

**예제 5** 단위분수의 크기 비교하기

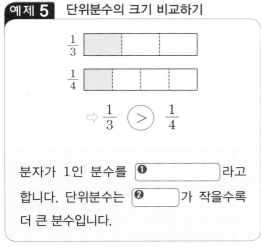

$\dfrac{1}{3}$

$\dfrac{1}{4}$

⇨ $\dfrac{1}{3}$ ( > ) $\dfrac{1}{4}$

분자가 1인 분수를 [ ❶ ]라고 합니다. 단위분수는 [ ❷ ]가 작을수록 더 큰 분수입니다.

[답] ❶ 단위분수 ❷ 분모

**예제 6** 길이를 소수로 나타내기

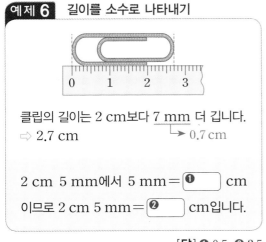

클립의 길이는 2 cm보다 7 mm 더 깁니다.

⇨ 2.7 cm ⟶ 0.7 cm

2 cm 5 mm에서 5 mm = [ ❶ ] cm 이므로 2 cm 5 mm = [ ❷ ] cm입니다.

[답] ❶ 0.5 ❷ 2.5

**4** 색칠한 부분과 색칠하지 <u>않은</u> 부분을 각각 분수로 나타내어 보시오.

(1)

색칠한 부분 [ ]

색칠하지 않은 부분 [ ]

(2)

색칠한 부분 [ ]

색칠하지 않은 부분 [ ]

**5** 주어진 분수만큼 색칠하고 ◯ 안에 >, =, <를 알맞게 써넣으시오.

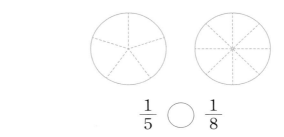

$\dfrac{1}{5}$ ◯ $\dfrac{1}{8}$

**6** 사탕의 길이는 몇 cm인지 소수로 나타내어 보시오.

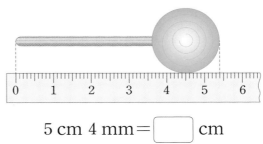

5 cm 4 mm = [ ] cm

**전략 1** 선분과 반직선 찾기  [관련 단원] 평면도형

예 선분과 반직선 찾기

가 　 나 　 다 　 라 　 마

(1) 선분 찾기: 두 점을 곧게 이은 선은 다, ❶〔　〕입니다.

(2) 반직선 찾기: 한 점에서 시작하여 한쪽으로 끝없이 늘인 곧은 선은 가, ❷〔　〕입니다.

답 ❶ 마 ❷ 나

**필수예제 | 01 |**

선분과 반직선을 모두 찾아 기호를 써 보시오.

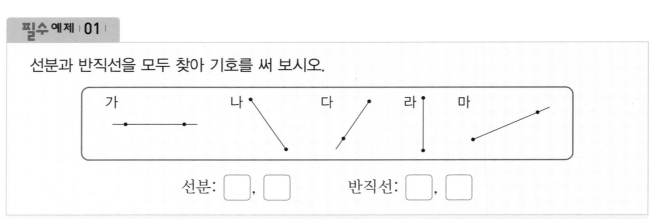

가 　 나 　 다 　 라 　 마

선분: 〔　〕, 〔　〕　　반직선: 〔　〕, 〔　〕

풀이 | • 선분은 두 점을 곧게 이은 선이므로 나, 라입니다.
　　　 • 반직선은 한 점에서 시작하여 한쪽으로 끝없이 늘인 곧은 선이므로 다, 마입니다.

## 확인 1-1

선분과 반직선을 모두 찾아 기호를 써 보시오.

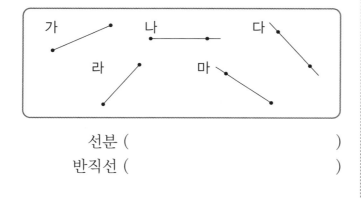

선분 (　　　　　　　　　　)
반직선 (　　　　　　　　　　)

## 확인 1-2

선분과 반직선을 모두 찾아 기호를 써 보시오.

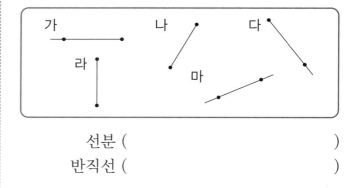

선분 (　　　　　　　　　　)
반직선 (　　　　　　　　　　)

**전략 2   두 도형에 있는 각의 수의 합 구하기**

[관련 단원] 평면도형

예 가와 나 도형에 있는 각은 모두 몇 개인지 구하기

❶ 가                      나

각은 한 점에서 그은 두 반직선으로 이루어진 도형이에요.

(1) 가와 나 도형에서 각을 모두 찾아 표시해 보기

(2) 가 도형에 있는 각은 3개, 나 도형에 있는 각은 ❷◻◻개입니다.

(3) 가와 나 도형에 있는 각은 모두 3+❸◻◻=❹◻◻(개)입니다.

답

**필수 예제 02**

가와 나 도형에 있는 각은 모두 몇 개입니까? (          )

가            나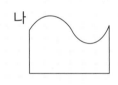

① 3개          ② 4개          ③ 5개          ④ 6개          ⑤ 7개

풀이   가 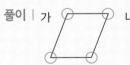   나

가 도형에 있는 각은 4개, 나 도형에 있는 각은 2개입니다.
⇨ 가와 나 도형에 있는 각은 모두 4+2=6(개)입니다.

**확인 2-1**

가와 나 도형에 있는 각은 모두 몇 개입니까?

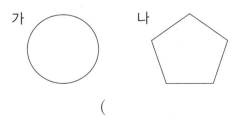

(                              )

**확인 2-2**

가와 나 도형에 있는 각은 모두 몇 개입니까?

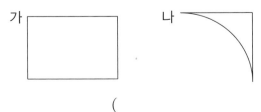

(                              )

전략 **3** 　똑같이 나누어진 것 찾기　　　　　　　　[관련 단원] 분수와 소수

**예** 똑같이 나누어진 것 찾기

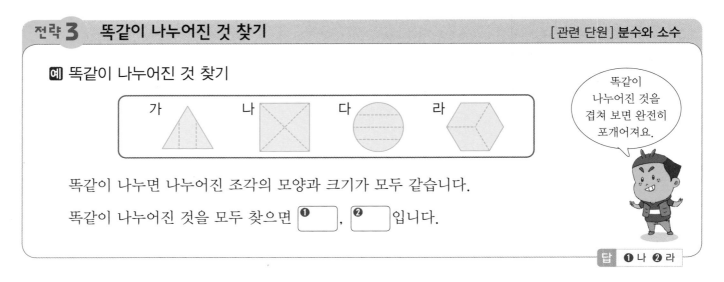

똑같이 나누면 나누어진 조각의 모양과 크기가 모두 같습니다.

똑같이 나누어진 것을 모두 찾으면 **❶**　　, **❷**　　입니다.

> 똑같이 나누어진 것을 겹쳐 보면 완전히 포개어져요.

답　**❶** 나　**❷** 라

**필수 예제 03**

똑같이 나누어진 것을 모두 찾아 기호를 써 보시오.

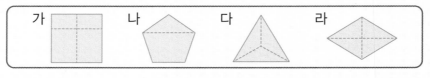

나누어진 조각의 모양과 크기가 같은 것을 모두 찾으면 　　, 　　입니다.

**풀이** | 도형 다는 나누어진 3조각의 모양과 크기가 같고, 도형 라는 나누어진 4조각의 모양과 크기가 같습니다.
⇨ 똑같이 나누어진 것은 다, 라입니다.

## 확인 **3**-1

똑같이 나누어진 것을 모두 찾아 기호를 써 보시오.

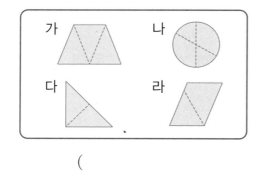

(　　　　　　　　　)

## 확인 **3**-2

똑같이 나누어진 것을 모두 찾아 기호를 써 보시오.

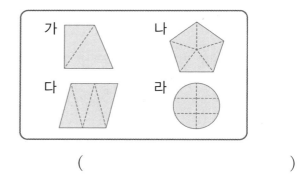

(　　　　　　　　　)

## 전략 4  소수로 나타내기

[관련 단원] 분수와 소수

예 리본 1 m를 똑같이 10조각으로 나누어 3조각을 사용했을 때 남은 리본의 길이는 몇 m인지 소수로 나타내기

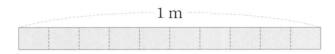

1 m

(1) 남은 리본의 조각 수 구하기

전체를 똑같이 10조각으로 나눈 것 중의 3조각을 사용했으므로 남은 리본은 ❶[　　]조각입니다.

(2) 남은 리본의 길이를 소수로 나타내기

전체를 똑같이 10으로 나눈 것 중의 7을 분수로 나타내면 $\frac{7}{10}$이고, $\frac{7}{10}$을 소수로 나타내면 ❷[　　]이므로 남은 리본의 길이를 소수로 나타내면 ❸[　　] m입니다.

답  ❶ 7  ❷ 0.7  ❸ 0.7

### 필수예제 04

리본 1 m를 똑같이 10조각으로 나누어 4조각을 사용했습니다. 남은 리본의 길이는 몇 m 입니까? (　　　　)

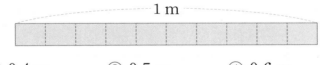

1 m

① 0.3 m　　② 0.4 m　　③ 0.5 m　　④ 0.6 m　　⑤ 0.7 m

풀이 │ 전체를 똑같이 10조각으로 나눈 것 중의 4조각을 사용했으므로 남은 리본은 6조각입니다.

전체를 똑같이 10으로 나눈 것 중의 6을 분수로 나타내면 $\frac{6}{10}$이고, $\frac{6}{10}$을 소수로 나타내면 0.6이므로 남은 리본의 길이를 소수로 나타내면 0.6 m입니다.

## 확인 4-1

색 테이프 1 m를 똑같이 10조각으로 나누어 9조각을 사용했습니다. 남은 색 테이프의 길이는 몇 m인지 소수로 나타내어 보시오.

(　　　　　　　)

## 확인 4-2

나무 막대 1 m를 똑같이 10조각으로 나누어 8조각을 사용했습니다. 남은 나무 막대의 길이는 몇 m인지 소수로 나타내어 보시오.

(　　　　　　　)

[ 관련 단원 ] **평면도형**

**1** 선분 ㄱㄴ, 반직선 ㄷㄹ, 직선 ㅁㅂ을 그어 보세요.

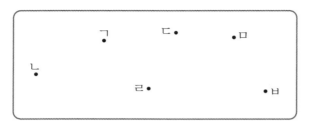

[ 관련 단원 ] **평면도형**

**2** 정사각형 모양의 종이를 선을 따라 자르면 직각삼각형이 모두 몇 개 만들어집니까?

(           )

[ 관련 단원 ] **평면도형**

**3** 직사각형의 네 변의 길이의 합은 몇 cm입니까?

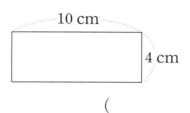

(           )

▶정답 및 풀이 20쪽

[관련 단원] 분수와 소수

**4** ☐ 안에 알맞은 수를 써넣으시오.

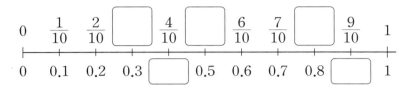

[관련 단원] 분수와 소수

**5** ❸ ㉠과 ㉡에 알맞은 수의 합을 구하시오.

> ❶ · 0.7은 0.1이 ㉠ 개입니다.
>
> ❷ · $\frac{1}{10}$ 이 ㉡ 개이면 0.2입니다.

(                    )

3
주

[관련 단원] 분수와 소수

**6** 민규가 초콜릿을 똑같이 4조각으로 나누어 전체의 $\frac{1}{2}$ 만큼 먹었습니다. 민규가 먹은 초콜릿은 몇 조각입니까?

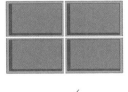

(                    )

전략 **1**  정사각형의 네 변의 길이의 합 구하기  [관련 단원] 평면도형

**예** 한 변의 길이가 4 m인 정사각형의 네 변의 길이의 합 구하기

 4 m

정사각형은 네 변의 길이가 모두 같아요.

(1) 정사각형의 나머지 변의 길이 구하기
  정사각형의 나머지 변의 길이는 모두 **❶**   m입니다.

(2) 한 변의 길이가 4 m인 정사각형의 네 변의 길이의 합 구하기
  $4+4+4+4=4×$ **❷**  $=$ **❸**  (m)

답  ❶ 4  ❷ 4  ❸ 16

**필수 예제 01**

한 변의 길이가 6 m인 정사각형의 네 변의 길이의 합은 몇 m인지 구하시오.

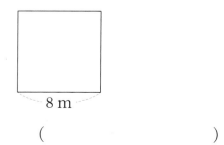 6 m

$6+6+\boxed{\phantom{0}}+\boxed{\phantom{0}}$
$=6×\boxed{\phantom{0}}=\boxed{\phantom{0}}$ (m)

**풀이** | 정사각형은 네 변의 길이가 모두 같습니다.
  ⇨ 한 변의 길이가 6 m인 정사각형의 네 변의 길이의 합은 $6+6+6+6=6×4=24$(m)입니다.

## 확인 **1**-1

한 변의 길이가 8 m인 정사각형의 네 변의 길이의 합은 몇 m입니까?

8 m

(                    )

## 확인 **1**-2

한 변의 길이가 9 m인 정사각형의 네 변의 길이의 합은 몇 m입니까?

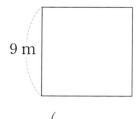 9 m

(                    )

## 전략 **2** 조건에 맞는 시각 구하기　　　　　　　　[관련 단원] 평면도형

**예** 조건에 맞는 시각 구하기

> • 오전 8시와 오후 1시 사이의 시각입니다.
> • 시계의 긴바늘이 12를 가리키고 긴바늘과 짧은바늘이 이루는 각이 직각입니다.

(1) 시계의 긴바늘이 12를 가리키고 긴바늘과 짧은바늘이 이루는 각이 직각인 시각 구하기

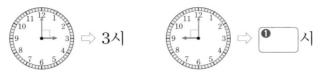 ⇨ 3시　　　　　⇨ **❶**☐시

(2) 조건에 맞는 시각 구하기

　　(1)에서 구한 시각 중에서 오전 8시와 오후 1시 사이의 시각은 오전 **❷**☐시입니다.

정답 ❶ 9 ❷ 9

### 필수 예제 | 02 |

조건에 맞는 시각을 구하시오.

> • 오후 1시와 오후 8시 사이의 시각입니다.
> • 시계의 긴바늘이 12를 가리키고 긴바늘과 짧은바늘이 이루는 각이 직각입니다.

오후 (　　　　　　　　)

풀이 | 시계의 긴바늘이 12를 가리키고 긴바늘과 짧은바늘이 이루는 각이 직각인 시각은 3시와 9시입니다.
　　　⇨ 이 중에서 오후 1시와 오후 8시 사이의 시각은 오후 3시입니다.

### 확인 **2**-1

조건에 맞는 시각을 구하시오.

> • 오전 7시와 오전 11시 사이의 시각입니다.
> • 시계의 긴바늘이 12를 가리키고 긴바늘과 짧은바늘이 이루는 각이 직각입니다.

오전 (　　　　　　　　)

### 확인 **2**-2

조건에 맞는 시각을 구하시오.

> • 오후 2시와 오후 7시 사이의 시각입니다.
> • 시계의 긴바늘이 12를 가리키고 긴바늘과 짧은바늘이 이루는 각이 직각입니다.

오후 (　　　　　　　　)

**전략 3** 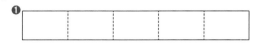 $\dfrac{▲}{■}$는 $\dfrac{1}{■}$이 몇 개인지 구하기 [관련 단원] 분수와 소수

예 $\dfrac{4}{5}$는 $\dfrac{1}{5}$이 몇 개인지 구하기

(1) 그림에 $\dfrac{4}{5}$만큼 색칠하기

❶

(2) $\dfrac{4}{5}$는 $\dfrac{1}{5}$이 몇 개인지 구하기

$\dfrac{4}{5}$는 $\dfrac{1}{5}$이 ❷ □ 개입니다.

$\dfrac{▲}{■}$는 전체를 똑같이 ■로 나눈 것 중의 ▲를 나타내요.

답 ❶ 예 ❷ 4

**필수 예제 03**

그림에 $\dfrac{3}{6}$만큼 색칠하고 $\dfrac{3}{6}$은 $\dfrac{1}{6}$이 몇 개인지 구하시오.

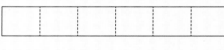

$\dfrac{3}{6}$은 $\dfrac{1}{6}$이 □ 개입니다.

풀이 | $\dfrac{3}{6}$은 전체를 똑같이 6으로 나눈 것 중의 3이므로 3칸을 색칠합니다.

⇨ $\dfrac{3}{6}$은 $\dfrac{1}{6}$이 3개입니다.

**확인 3-1**

그림에 $\dfrac{5}{7}$만큼 색칠하고 $\dfrac{5}{7}$는 $\dfrac{1}{7}$이 몇 개인지 구하시오.

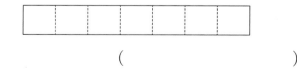

( )

**확인 3-2**

그림에 $\dfrac{6}{8}$만큼 색칠하고 $\dfrac{6}{8}$은 $\dfrac{1}{8}$이 몇 개인지 구하시오.

( )

## 전략 4  소수로 나타내어 크기 비교하기

[관련 단원] 분수와 소수

**예** 길이가 더 긴 것 찾기

┌─────────────────────────────────┐
│  ㉠ 5.7 cm        ㉡ 61 mm       │
└─────────────────────────────────┘

(1) 61 mm는 몇 cm인지 소수로 나타내기

61 mm=6 cm 1 mm이고 1 mm=❶[   ]cm이므로

61 mm=❷[   ]cm입니다.

> 1 mm=0.1 cm
> 임을 이용해요.

(2) 길이가 더 긴 것 찾기

5.7 ❸◯ 6.1이므로 길이가 더 긴 것은 ❹[   ]입니다.

답  ❶ 0.1  ❷ 6.1  ❸ <  ❹ ㉡

### 필수 예제 04

길이가 더 긴 것을 찾아 기호를 써 보시오.

┌─────────────────────────────────┐
│  ㉠ 5.4 cm        ㉡ 43 mm       │
└─────────────────────────────────┘

(1) 43 mm는 몇 cm인지 소수로 나타내어 보시오.

(                    )

(2) 길이가 더 긴 것을 찾아 기호를 써 보시오.

(                    )

**풀이** | (1) 43 mm=4 cm 3 mm이고 3 mm=0.3 cm이므로 43 mm=4.3 cm입니다.
　　　　(2) 5.4>4.3이므로 길이가 더 긴 것은 ㉠입니다.

## 확인 4-1

길이가 더 긴 것을 찾아 기호를 써 보시오.

┌─────────────────────────────────┐
│  ㉠ 7.8 cm        ㉡ 82 mm       │
└─────────────────────────────────┘

(                    )

## 확인 4-2

길이가 더 긴 것을 찾아 기호를 써 보시오.

┌─────────────────────────────────┐
│  ㉠ 3.9 cm        ㉡ 35 mm       │
└─────────────────────────────────┘

(                    )

[관련 단원] **평면도형**

**1** 점 ㄱ을 꼭짓점으로 하는 직각을 그리려고 합니다. 점 ㄱ과 어느 점을 이어야 합니까? (          )

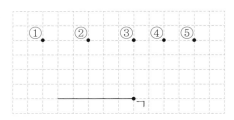

**Tip**

· 모눈종이에서 점선들이 이루는 각은 모두 **❶**      입니다.

· 모눈의 선을 따라가면서 점 **❷**    이 꼭짓점이 되는 직각을 그렸을 때 만나는 점을 찾습니다.

**답** ❶ 직각 ❷ ㄱ

[관련 단원] **평면도형**

**2** 잘못 설명한 것을 찾아 기호를 써 보시오.

> ㉠ 직각삼각형은 직각이 1개 있습니다.
> ㉡ 직사각형은 네 변의 길이가 항상 같습니다.
> ㉢ 정사각형은 직사각형이라고 할 수 있습니다.

(                    )

**Tip**

· 직각삼각형은 **❶**    각이 직각인 삼각형입니다.

· 직사각형은 네 **❷**    이 모두 직각인 사각형입니다.

· 정사각형은 네 각이 모두 **❸**      이고 네 변의 길이가 모두 같은 사각형입니다.

**답** ❶ 한 ❷ 각 ❸ 직각

[관련 단원] **평면도형**

**3** 그림에서 찾을 수 있는 각은 모두 몇 개입니까?

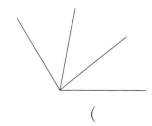

(                         )

**Tip**

각 1개짜리인 각은 **❶**    개입니다. 이와 같이 각 2개짜리, 각 **❷**    개짜리인 각은 각각 몇 개인지 구합니다.

**답** ❶ 3 ❷ 3

▶정답 및 풀이 21쪽

[관련 단원] **분수와 소수**

**4** 색칠한 부분이 나타내는 분수가 <u>다른</u> 하나를 찾아 기호를 써 보시오.

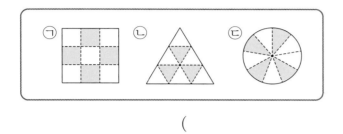

(            )

[관련 단원] **분수와 소수**

**5** ☐ 안에 들어갈 수 있는 수를 모두 찾아 ○표 하시오.

$$2.6 < 2.\square$$

( 4 , 5 , 6 , 7 , 8 , 9 )

[관련 단원] **분수와 소수**

**6** [③] 조건에 맞는 분수를 모두 써 보시오.

> **❶**• 단위분수입니다.
>
> **❷** • $\frac{1}{7}$ 보다 큰 분수입니다.
>
> • $\frac{1}{3}$ 보다 작은 분수입니다.

(            )

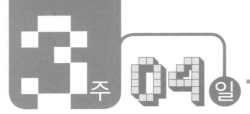
**대표 예제 01**

반직선 ㄹㄷ을 찾아 기호를 써 보시오.

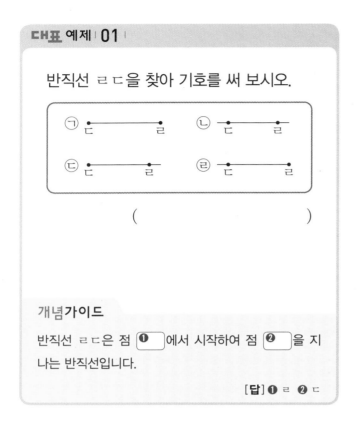

(                    )

**개념가이드**

반직선 ㄹㄷ은 점 [❶]에서 시작하여 점 [❷]을 지나는 반직선입니다.

[답] ❶ ㄹ ❷ ㄷ

**대표 예제 02**

도형이 각이 <u>아닌</u> 이유를 써 보시오.

이유 _____

_____

_____

**개념가이드**

각은 한 [❶]에서 그은 두 [❷]으로 이루어진 도형입니다.

[답] ❶ 점 ❷ 반직선

**대표 예제 03**

그림에서 직각을 모두 찾아 ∟ 표시를 하시오.

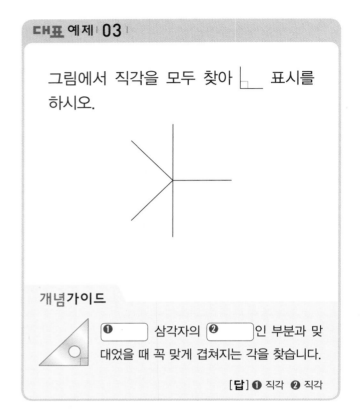

**개념가이드**

[❶] 삼각자의 [❷]인 부분과 맞대었을 때 꼭 맞게 겹쳐지는 각을 찾습니다.

[답] ❶ 직각 ❷ 직각

**대표 예제 04**

주어진 선분을 한 변으로 하는 직각삼각형을 그려 보시오.

**개념가이드**

직각삼각형을 그리려면 세 각 중에서 [❶] 각이 [❷]인 삼각형을 그려야 합니다.

[답] ❶ 한 ❷ 직각

넌 최고로 잘하고 있어!

**대표 예제 | 05 |**

4개의 점 중에서 2개의 점을 이어 그을 수 있는 직선은 모두 몇 개입니까?

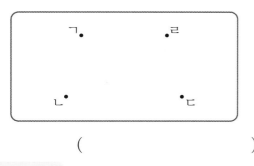

(                    )

**개념가이드**

2개의 점을 이어 그을 수 있는 직선을 모두 그어 봅니다. 이때 직선 ㄱ❶     과 직선 ㄴ❷     은 같은 직선입니다.

[답] ❶ ㄴ  ❷ ㄱ

**대표 예제 | 06 |**

길이가 28 cm인 철사를 겹치지 않게 모두 사용하여 정사각형을 한 개 만들었습니다. 만든 정사각형의 한 변의 길이는 몇 cm입니까?

(                    )

**개념가이드**

정사각형은 ❶     변의 길이가 모두 같습니다.
정사각형의 한 변의 길이를 □ cm라 하면
□+□+□+□=❷     입니다.

[답] ❶ 네  ❷ 28

**대표 예제 | 07 |**

그림에서 찾을 수 있는 크고 작은 직사각형은 모두 몇 개입니까?

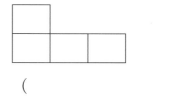

(                    )

**개념가이드**

직사각형 1개짜리인 직사각형은 ❶     개입니다.
이와 같이 직사각형 2개짜리, ❷     개짜리인 직사각형의 수를 각각 구한 후 합을 구합니다.

[답] ❶ 4  ❷ 3

**대표 예제 | 08 |**

정사각형 2개를 겹치지 않게 이어 붙인 것입니다. 도형을 둘러싼 굵은 선의 길이의 합은 몇 cm입니까?

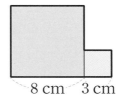

8 cm   3 cm

(                    )

**개념가이드**

도형을 둘러싼 굵은 선의 길이의 합은 긴 변의 길이가 ❶     cm, 짧은 변의 길이가 ❷     cm인 직사각형의 네 변의 길이의 합과 같습니다.

[답] ❶ 11  ❷ 8

3
주

**대표 예제 | 09 |**

점선을 따라 잘랐을 때 도형을 둘로 똑같이 나눌 수 있는 점선은 어느 것입니까?

(       )

**개념가이드**

도형을 둘로 똑같이 나누면 나누어진 **❶** 조각의 모양과 **❷** 가 같습니다.

[답] ❶ 2 ❷ 크기

**대표 예제 | 11 |**

잘못 말한 사람은 누구입니까?

> 현아: ▬ 부분을 소수로 쓰면 2.6이고 이 점 육이라고 읽어.
> 민서: ▬ 부분은 0.1이 260개인 수와 같아.

(       )

**개념가이드**

수직선의 작은 눈금 한 칸은 0.**❶** 이고, ▬ 부분은 작은 눈금 **❷** 칸입니다.

[답] ❶ 1 ❷ 26

**대표 예제 | 10 |**

분수만큼 색칠해 보시오.

$\frac{2}{6}$   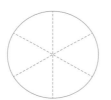

**개념가이드**

$\frac{2}{6}$ 는 전체를 똑같이 **❶** 으로 나눈 것 중의 **❷** 입니다.

[답] ❶ 6 ❷ 2

**대표 예제 | 12 |**

학교와 경찰서 중에서 기영이네 집에서 더 가까운 곳은 어디입니까?

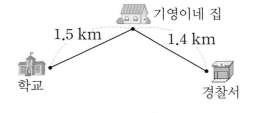

(       )

**개념가이드**

1.5와 1.4는 소수점 **❶** 부분이 같으므로 소수점 **❷** 부분의 크기를 비교하여 더 작은 수를 알아봅니다.

[답] ❶ 왼쪽 ❷ 오른쪽

항상 널 응원해!

**대표 예제 13**

가장 큰 분수에 ○표, 가장 작은 분수에
△표 하시오.

$$\frac{5}{8} \qquad \frac{7}{8} \qquad \frac{3}{8}$$

**개념가이드**

세 분수는 분모가 **❶** 로 같으므로 **❷** 가 클수
록 더 큰 분수입니다.

[답] ❶ 8 ❷ 분자

**대표 예제 14**

길이를 바르게 나타낸 것을 찾아 기호를
써 보시오.

㉠ 29 mm=20.9 cm
㉡ 16 cm 5 mm=16.5 cm

( )

**개념가이드**

1 cm는 **❶** mm이므로 1 mm는 **❷** cm입
니다.

[답] ❶ 10 ❷ 0.1

**대표 예제 15**

전체에 알맞은 도형을 모두 찾아 ○표 하
시오.

전체를 똑같이 4로 나눈 것 중의 3

가 나 다

**개념가이드**

주어진 도형이 전체를 똑같이 4로 나눈 것 중의 **❶**
이므로 전체를 똑같이 **❷** 로 나눈 도형을 모두 찾습
니다.

[답] ❶ 3 ❷ 4

**대표 예제 16**

윤희는 피자 한 판의 $\frac{1}{6}$을 먹었습니다.
남은 부분은 윤희가 먹은 부분의 몇 배입
니까?

( )

**개념가이드**

남은 부분은 피자 한 판의 $\dfrac{❶}{❷}$입니다.

[답] ❶ 5 ❷ 6

**3** 주 **04** 일 교과서 **대표 전략 ❷**

**1** 선분이 가장 많은 도형을 찾아 기호를 써 보시오.

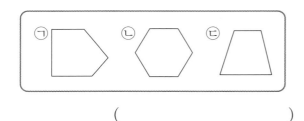

( )

Tip

도형 ㉠: 선분 **❶** 개로 둘러싸인 도형

도형 ㉡: 선분 **❷** 개로 둘러싸인 도형

도형 ㉢: 선분 **❸** 개로 둘러싸인 도형

답 ❶ 5 ❷ 6 ❸ 4

**2** 4개의 점 중에서 3개의 점을 이어 그릴 수 있는 직각삼각형은 모두 몇 개입니까?

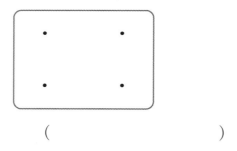

( )

Tip

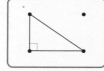 3개의 점을 이어 왼쪽 그림과 같이 한 각이 **❶** 인 **❷** 을 모 두 그려 봅니다.

답 ❶ 직각 ❷ 삼각형

**3** 정사각형 가와 직사각형 나의 네 변의 길 이의 합이 같습니다. 직사각형에서 ☐ 안 에 알맞은 수를 써넣으시오.

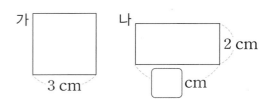

Tip

정사각형의 네 변의 길이의 합은 3×**❶** 로 구할 수 있 고, 직사각형의 네 변의 길이의 합은 ☐+2+☐+**❷** 로 구할 수 있습니다.

답 ❶ 4 ❷ 2

**4** 그림에서 찾을 수 있는 크고 작은 정사각 형은 모두 몇 개입니까?

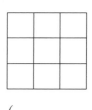

( )

Tip

정사각형 1개짜리인 정사각형은 **❶** 개입니다. 이와 같이 정사각형 4개짜리, 정사각형 **❷** 개짜리인 정사각형의 수 를 각각 구한 후 합을 구합니다.

답 ❶ 9 ❷ 9

**5** 남은 부분과 먹은 부분을 각각 분수로 나타내고 더 큰 분수에 ○표 하시오.

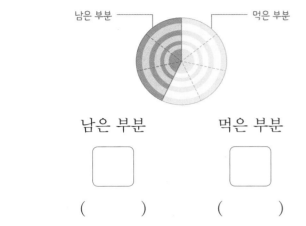

남은 부분      먹은 부분

(      )      (      )

**Tip**

전체를 똑같이 7로 나눈 것 중의 남은 부분은 **❶** 이고 먹은 부분은 **❷** 입니다.

답 ❶ 3 ❷ 4

**6** 나타내는 수가 다른 하나를 찾아 기호를 써 보시오.

㉠ 4.9
㉡ 0.1이 49개인 수
㉢ 사 점 육
㉣ 4와 0.9만큼인 수

(      )

**Tip**

모두 **❶** 로 나타내어 크기를 비교합니다.

이때 0.1이 49개인 수는 **❷** 입니다.

답 ❶ 소수 ❷ 4.9

**7** ☐ 안에 들어갈 수 있는 수를 모두 찾아 ○표 하시오.

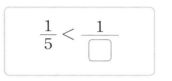

$$\frac{1}{5} < \frac{1}{\square}$$

( 2 , 3 , 4 , 5 , 6 , 7 )

**Tip**

단위분수는 분모가 작을수록 더 **❶** 분수이므로 ☐ 안에 들어갈 수 있는 수는 5보다 **❷** 수입니다.

답 ❶ 큰 ❷ 작은

**8** 3장의 수 카드 중에서 2장을 뽑아 한 번씩 만 사용하여 소수 ■.▲를 만들려고 합니다. 만들 수 있는 소수 중에서 가장 큰 수와 가장 작은 수를 각각 구하시오.

가장 큰 수 (      )
가장 작은 수 (      )

**Tip**

가장 큰 소수 ■.▲를 만들 때에는 **❶** 수부터 차례로 2장을 뽑습니다.

가장 작은 소수 ■.▲를 만들 때에는 **❷** 수부터 차례로 2장을 뽑습니다.

답 ❶ 큰 ❷ 작은

**3** 주

**01** 도형의 이름을 써 보시오.

(1) ㄱ────────ㄴ

(                    )

(2) ──•──────•──
　　ㄷ　　　　ㄹ

(                    )

**02** 직각을 찾아 읽어 보시오.

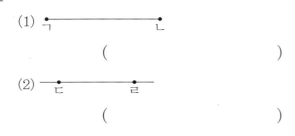

(                    )

**03** 칠교판에 있는 조각 7개 중에서 직각삼각형과 정사각형은 각각 몇 개인지 구하시오.

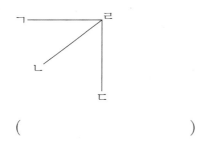

직각삼각형 (                    )

정사각형 (                    )

**04** 모눈종이에 그려진 사각형의 꼭짓점 1개를 옮겨 직사각형을 만들어 보시오.

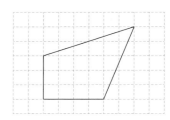

**05** 두 사각형의 같은 점과 다른 점을 각각 한 가지씩 써 보시오.

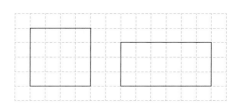

**같은 점**

──────────────────────

**다른 점**

──────────────────────

**06** 이탈리아 국기에서 흰색 부분은 전체의 얼마인지 분수로 쓰고 읽어 보시오.

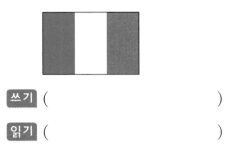

쓰기 (                    )

읽기 (                    )

**07** 주스가 몇 컵인지 소수로 나타내어 보시오.

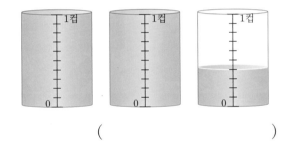

(                    )

**08** 하준이와 민경이의 50 m 달리기 기록입니다. 더 빨리 달린 사람은 누구입니까?

(                    )

**09** 두 분수의 크기를 비교하여 더 큰 분수를 위의 빈 곳에 써넣으시오.

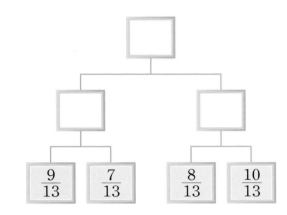

**10** 윤정이가 사는 지역의 지난달 강수량은 17 mm, 이번 달 강수량은 41 mm입니다. 지난달과 이번 달의 강수량은 모두 몇 cm인지 소수로 나타내어 보시오.

(                    )

# 3주 창의·융합·코딩 전략 ❶

나는 우리 동네 딱지치기 대왕이야.

지금껏 나를 이긴 사람이 없어.

정말이야? 그럼 나랑 딱지치기 대결을 해볼까?

내 딱지는 네 변의 길이의 합이 40 cm인 정사각형 모양이야. 네 딱지는?

내 건 한 변의 길이가 40 cm인 정사각형 모양!

윽~ 네 딱지가 내 것보다 훨씬 크잖아.

두 딱지 모두 40 cm인데?

네 딱지의 네 변의 길이의 합을 구해서 내 거랑 비교해야지.

내가 그걸 알 거라고 생각했니?

미안, 내가 널 몰랐나봐.

어서 내 딱지를 넘겨봐!

이건 해도해도 너무 큰 딱지잖아.

**1** 위 대화를 읽고 남학생이 가지고 있는 딱지의 네 변의 길이의 합은 몇 cm인지 구하시오.

(                    )

**2** 위 대화를 읽고 남학생과 여학생 중 누가 피자를 더 많이 먹으려고 했는지 구하시오.

( )

#  창의·융합·코딩 전략 ❷

**추론**

**1** 모양과 크기가 같은 정사각형 모양의 색종이 4장이 그림과 같이 포개져 있습니다. 위에 놓인 것부터 순서대로 기호를 써 보시오.

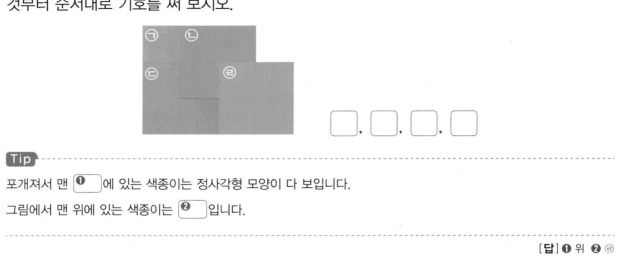

☐ , ☐ , ☐ , ☐

---

**Tip** ------------------------------------------------

포개져서 맨 [❶] 에 있는 색종이는 정사각형 모양이 다 보입니다.

그림에서 맨 위에 있는 색종이는 [❷] 입니다.

[답] ❶ 위 ❷ ㄹ

**창의 융합**

**2** 설명이 옳으면 '예', 틀리면 '아니요'를 따라가서 미로를 탈출해 보시오.

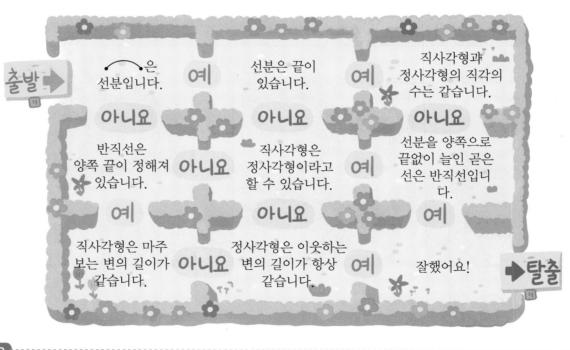

---

**Tip** ------------------------------------------------

정사각형은 [❶] 변의 길이가 모두 같으므로 이웃하는 변의 길이가 항상 [❷] .

[답] ❶ 네 ❷ 같습니다

**3** 주어진 점을 이용하여 도형을 똑같이 넷으로 나누고 $\frac{2}{4}$ 만큼 색칠하시오.

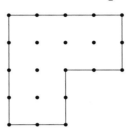

**Tip**

똑같이 나누었을 때 나누어진 조각의 모양과 ❶ ⬜ 가 같아야 합니다.

$\frac{2}{4}$ 는 전체를 똑같이 4로 나눈 것 중의 ❷ ⬜ 입니다.

[답] ❶ 크기 ❷ 2

**4** 진수와 영미가 땅따먹기 놀이를 하고 있습니다. 진수가 딴 땅의 $\frac{1}{10}$ 과 영미가 딴 땅의 $\frac{1}{7}$ 이 다음과 같을 때 두 사람이 딴 전체 땅을 그려 보시오.

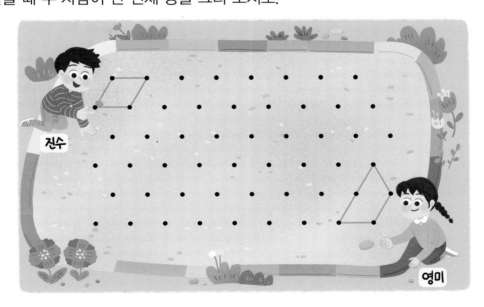

**Tip**

진수는 주어진 땅과 모양과 크기가 같은 땅을 ❶ ⬜ 만큼 더 그리고, 영미는 ❷ ⬜ 만큼 더 그립니다.

[답] ❶ 9 ❷ 6

창의 융합

**5** 모양과 크기가 같은 직사각형 모양의 색종이 6장을 사용하여 왼쪽과 같은 모양을 만들었습니다. 왼쪽 모양에서 색종이를 가장 적게 이동하여 오른쪽 모양을 만들었을 때 이동한 색종이는 모두 몇 장입니까?

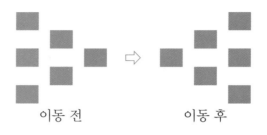

이동 전                    이동 후

(               )

**Tip**

이동 후에 맨 왼쪽에 있는 직사각형 모양의 종이는 3장에서 ❶ 장이 되었고, 맨 오른쪽에 있는 직사각형 모양의 종이는 1장에서 ❷ 장이 되었습니다.

[답] ❶ 1 ❷ 3

창의 융합

**6** 더 큰 소수를 따라가면 소율이가 받을 선물이 나옵니다. 소율이가 받을 선물을 찾아 써 보시오.

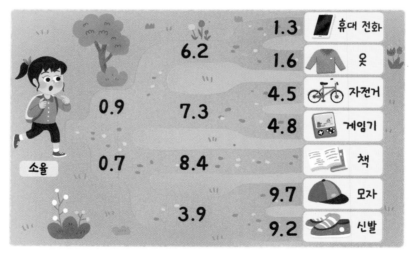

(               )

**Tip**

소수의 크기를 비교할 때 소수점 왼쪽 부분의 크기가 클수록 더 ❶ 수이고, 소수점 왼쪽 부분의 크기가 같으면 소수점 오른쪽 부분의 크기가 클수록 더 ❷ 수입니다.

[답] ❶ 큰 ❷ 큰

**코딩**

**7** 각 칸에 주어진 수를 모두 더하여 ☐ 안에 알맞은 수를 써넣으시오.

1

+ 직사각형의
직각의 수 + 정사각형의 길이가
같은 변의 수 + 직각삼각형의
직각의 수

**Tip**

직사각형은 **❶** ☐ 각이 모두 직각인 사각형, 정사각형은 네 각이 모두 직각이고 **❷** ☐ 변의 길이가 모두 같은 사각형,
직각삼각형은 **❸** ☐ 각이 직각인 삼각형입니다.

[답] **❶** 네 **❷** 네 **❸** 한

**3**
**주**

**문제** **해결**

**8** 가로(→) 또는 세로(↓) 방향으로 같은 길이가 3개씩 연달아 놓인 것을 모두 찾아 ◯로 묶어 보시오.

| 2.2 cm | 22 mm | 2 cm 2 mm | 22 m | 35 cm |
|--------|-------|-----------|------|-------|
| 2 m 2 cm | 47 m | 2 m | 28 cm | 3 cm 5 mm |
| 37 cm | 4.7 cm | 25 cm | 2 cm 8 mm | 35 mm |
| 3.7 cm | 4 cm 7 mm | 2.5 cm | 2 cm 5 mm | 3.5 cm |
| 3 cm 7 mm | 47 mm | 2 m 5 cm | 3 m | 3 m 5 cm |

**Tip**

2.2 cm를 mm로 나타내면 **❶** ☐ mm입니다.

2.2 cm를 cm와 mm로 나타내면 **❷** ☐ cm **❸** ☐ mm입니다.

[답] **❶** 22 **❷** 2 **❸** 2

각 자리 수끼리 빼서 계산하면 돼. 이때 같은 자리 수끼리 뺄 수 없으면 바로 윗자리에서 10을 받아내림해야 해.

쓰기 1 km

읽기 1 킬로미터

1000 m = 1km

[관련 단원] **덧셈과 뺄셈**

**1** 해진이네 가족이 여행을 왔습니다. 쪽지를 보고 해진이가 여행 가방을 열 수 있게 비밀번호를 구하시오.

해진아, 여행 가방의 비밀번호는 세 수 6, 1, 3을 한 번씩만 사용하여 만들 수 있는 가장 큰 세 자리 수와 가장 작은 세 자리 수의 차와 같단다.

**❶** 세 수 6, 1, 3을 한 번씩만 사용하여 만들 수 있는 가장 큰 세 자리 수를 구하시오.

( )

**❷** 세 수 6, 1, 3을 한 번씩만 사용하여 만들 수 있는 가장 작은 세 자리 수를 구하시오.

( )

**❸** ❶과 ❷에서 만든 두 수의 차를 구하여 비밀번호를 구하시오.

비밀번호 ☐ ☐ ☐

**Tip**

가장 큰 세 자리 수를 만들려면 높은 자리부터 **❶**〔   〕 수를 차례대로 놓고, 가장 작은 세 자리 수를 만들려면 높은 자리부터 **❷**〔   〕 수를 차례대로 놓아야 합니다.

[답] **❶** 큰 **❷** 작은

[ 관련 단원 ] **평면도형**

2 **조건**에 맞는 그림을 각각 찾아 얼굴을 그려 보시오.

| 얼굴 모양 | ◇ | ⬡ | ⬠ | △ |
|---|---|---|---|---|
| 눈 모양 | ▭ | ◇ | ▱ | ▢ |
| 코 모양 | ◿ | △ | ▽ | |
| 입 모양 | ▭ | ◇ | ▱ | ⏢ |

**조건**

• 얼굴 모양은 선분 5개로 둘러싸인 도형입니다.
• 눈 모양은 네 각이 모두 직각이고 네 변의 길이가 모두 같은 사각형입니다.
• 코 모양은 한 각이 직각인 삼각형입니다.
• 입 모양은 네 각이 모두 직각인 사각형입니다.

❶ 위 그림에서 얼굴, 눈, 코, 입 모양에 맞는 그림을 각각 찾아 ○표 하시오.

❷ ❶에서 찾은 그림들을 이용하여 얼굴을 그려 보시오.

얼굴

**Tip**

네 각이 모두 직각이고 네 변의 길이가 모두 같은 사각형은 ❶[          ],

한 각이 직각인 삼각형은 ❷[          ], 네 각이 모두 직각인 사각형은 ❸[          ]입니다.

[**답**] ❶ 정사각형  ❷ 직각삼각형  ❸ 직사각형

# 신유형·신경향·서술형 **전략**

[관련 단원] **나눗셈**

**3** 보기에서 규칙을 찾아 빈 곳에 알맞은 수를 써넣으시오.

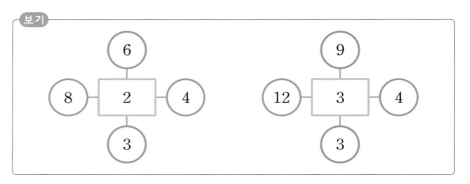

❶ 보기에서 규칙을 찾아 ○ 안에 ＋, －, ×, ÷ 중 알맞은 것을 써넣으시오.

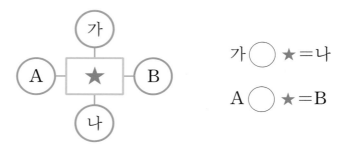

$$가 \bigcirc \bigstar = 나$$
$$A \bigcirc \bigstar = B$$

❷ ❶에서 찾은 규칙에 따라 빈 곳에 알맞은 수를 써넣으시오.

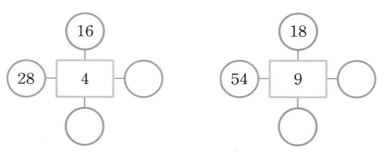

Tip
왼쪽 그림에서 16을 ❶ 로 나눈 값을 ○ 안에 써넣고, 28을 ❷ 로 나눈 값을 ○ 안에 써넣습니다.

▶정답 및 풀이 26쪽

[ 관련 단원 ] **곱셈**

**4** 물건을 세는 단위는 여러 가지가 있습니다. 북어 3쾌, 고등어 12손, 바늘 4쌈 중에서 수가 가장 많은 것을 찾아보시오.

❶ 북어 3쾌는 북어가 몇 마리입니까?

(            )

❷ 고등어 12손은 고등어가 몇 마리입니까?

(            )

❸ 바늘 4쌈은 바늘이 몇 개입니까?

(            )

❹ 수가 가장 많은 것을 찾아 ◯표 하시오.

| 북어 3쾌 | 고등어 12손 | 바늘 4쌈 |

**Tip**

북어 3쾌의 수는 ❶ [　　] ×3으로, 고등어 12손의 수는 ❷ [　] ×12로, 바늘 4쌈의 수는 ❸ [　] ×4로 구합니다.

[답] ❶ 20 ❷ 2 ❸ 24

[관련 단원] **길이와 시간**

**5** 진수와 연희가 놀이공원에 갔습니다. 입구에서 진수는 회전목마를 지나 바이킹까지 걸어갔고, 연희는 바로 바이킹까지 걸어갔습니다. 진수가 연희보다 더 걸어간 거리를 구하시오.

❶ 진수가 걸어간 거리는 몇 km 몇 m입니까?

(                    )

❷ 연희가 걸어간 거리는 몇 km 몇 m입니까?

(                    )

❸ 진수가 연희보다 더 걸어간 거리를 구하시오.

(                    )

> **Tip**
> ----------------------------------------------------------
> 1000 m=❶ km임을 이용하여 2800 m는 몇 km 몇 m인지 구합니다.
> (진수가 연희보다 더 걸어간 거리)=(진수가 걸어간 거리)❷ (연희가 걸어간 거리)를 계산합니다.
> ----------------------------------------------------------

[답] ❶ 1  ❷ —

▶ 정답 및 풀이 26쪽

[ 관련 단원 ] **분수와 소수**

**6** 다음과 같이 9칸에 분모가 10인 서로 <u>다른</u> 분수를 규칙에 맞게 써넣으려고 합니다.
㉠, ㉡, ㉢에 알맞은 분수를 구하시오.

| $\dfrac{9}{10}$ | $\dfrac{6}{10}$ | $\dfrac{5}{10}$ |
|---|---|---|
| ㉠ | ㉡ | $\dfrac{3}{10}$ |
| $\dfrac{7}{10}$ | $\dfrac{2}{10}$ | ㉢ |

규칙
- → 방향으로 분수가 작아집니다.
- ↓ 방향으로 분수가 작아집니다.

**①** ㉠에 알맞은 분수를 구하시오.

(          )

**②** ㉡에 알맞은 분수를 구하시오.

(          )

**③** ㉢에 알맞은 분수를 구하시오.

(          )

**Tip**

분모가 같은 분수는 분자가 작을수록 더 [ **❶** ] 분수입니다.

㉠에 알맞은 분수는 분모가 10인 분수 중에서 $\dfrac{9}{10}$ 보다 작고 $\dfrac{7}{10}$ 보다 큰 분수이므로 [ **❷** ] 입니다.

[답] ❶ 작은 ❷ $\dfrac{8}{10}$

01 주어진 길이를 읽어 보시오.

> 3 mm

(               )

02 계산을 하시오.

(1)
```
    1 2 4
 +  2 3 1
```

(2)
```
    4 5 8
 -  1 4 6
```

03 다음 길이를 쓰고 읽어 보시오.

> 3 km보다 100 m 더 긴 것

쓰기 ⬜ km ⬜ m

읽기 (               )

04 ⬜ 안의 수 1이 실제로 나타내는 수를 써 보시오.

```
      ①
    3 4 8
 +  1 2 7
    4 7 5
```

(               )

05 ⬜ 안에 알맞은 수를 써넣으시오.

(1) 2 cm = ⬜ mm

(2) 58 mm = ⬜ cm ⬜ mm

06 잘못 계산한 곳을 찾아 바르게 계산하시오.

```
    6 1 8          6 1 8
 +  3 2 9   ⇨   +  3 2 9
    9 3 7
```

**07** 시계에 초바늘을 그려 넣으시오.

9시 25분 16초

**08** ☐ 안에 알맞은 수를 써넣으시오.

(1) 210초＝☐초＋30초

＝☐분☐초

(2) 5분 40초＝☐초＋40초

＝☐초

**09** 빈칸에 알맞은 수를 써넣으시오.

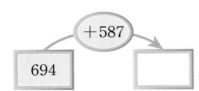

694 ＋587 ☐

**10** ☐ 안에 알맞은 수를 써넣으시오.

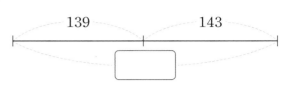

139     143

☐

**11** 길이가 더 긴 다리를 찾아 써 보시오.

▲ 서해대교, 7310 m

▲ 광안대교, 7 km 420 m

(          )

**12** 계산을 하시오.

(1)
$$
\begin{array}{r}
3\text{시} \quad 20\text{분} \quad 5\text{초} \\
+ \qquad 10\text{분} \quad 40\text{초} \\
\hline
\end{array}
$$

(2)
$$
\begin{array}{r}
7\text{시간} \quad 50\text{분} \quad 20\text{초} \\
- \quad 1\text{시간} \quad 30\text{분} \quad 10\text{초} \\
\hline
\end{array}
$$

**13** 다음 중 단위를 잘못 쓴 문장을 찾아 기호를 쓰고 옳게 고쳐 보시오.

> ㉠ 학교 정문의 높이는 약 2 m입니다.
> ㉡ 공책의 긴 쪽의 길이는
> 　약 26 mm입니다.
> ㉢ 산책로의 길이는 약 1 km입니다.

기호

고쳐 쓰기

**14** 다음이 나타내는 수를 구하시오.

> 678보다 245만큼 더 작은 수

(　　　　　　　　　)

**15** ☐ 안에 알맞은 수를 구하시오.

$$178 + \boxed{\phantom{0}} = 436$$

(　　　　　　　　　)

**16** 줄넘기를 민호는 6분 20초 동안 하였고, 지애는 350초 동안 하였습니다. 줄넘기를 더 오래 한 사람은 누구입니까?

(　　　　　　　　　)

**17** 진수네 집에서 도서관과 경찰서까지의 거리를 나타낸 것입니다. 도서관과 경찰서 중에서 어느 곳이 진수네 집에서 몇 m 더 멉니까?

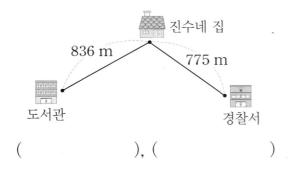

(             ), (             )

**19** 석현이가 수학 공부를 시작한 시각과 끝낸 시각을 나타낸 것입니다. 석현이가 수학 공부를 한 시간은 몇 시간 몇 분 몇 초입니까?

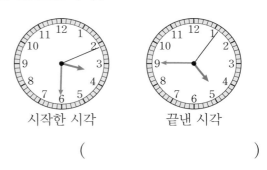

시작한 시각              끝낸 시각

(                              )

**18** 3장의 수 카드를 한 번씩만 사용하여 만들 수 있는 가장 큰 세 자리 수와 가장 작은 세 자리 수의 차를 구하시오.

| 8 | 9 | 1 |

(                              )

**20** 민희가 바르게 계산하면 얼마입니까?

어떤 수에서 113을 빼야 할 것을 잘못하여 더했더니 702가 되었어요.

민희

(                              )

01 사과 12개를 바구니 4개에 똑같이 나누어 담으려고 합니다. 바구니 1개에 사과를 몇 개씩 담을 수 있는지 ○를 그려 알아보세요.

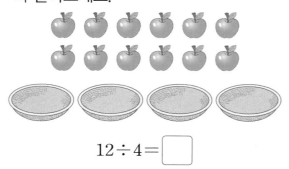

$$12 \div 4 = \boxed{\phantom{0}}$$

02 수 모형을 보고 ☐ 안에 알맞은 수를 써넣으시오.

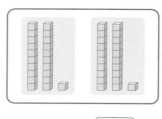

$$21 \times 2 = \boxed{\phantom{0}}$$

03 오공이가 말한 곱셈의 계산 결과를 찾아 ○표 하시오.

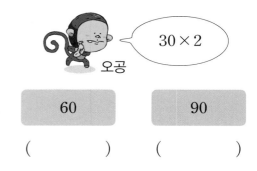

| 60 | 90 |
|----|----|
| (    ) | (    ) |

04 다음을 나눗셈식으로 써 보시오.

15 나누기 3은 5와 같습니다.

나눗셈식 _____

05 $10 \div 2$의 몫을 구하는 데 이용할 수 있는 곱셈식을 찾아 ○표 하시오.

| $2 \times 7 = 14$ | $5 \times 3 = 15$ | $2 \times 5 = 10$ |
|----|----|----|
| (        ) | (        ) | (        ) |

## 06 계산을 하시오.

(1)
$$\begin{array}{r} 1\ 6 \\ \times\quad 4 \\ \hline \end{array}$$

(2)
$$\begin{array}{r} 5\ 3 \\ \times\quad 3 \\ \hline \end{array}$$

## 07 곱셈식을 나눗셈식 2개로 바꿔 보시오.

$5 \times 9 = 45$

$\boxed{\phantom{0}} \div 5 = \boxed{\phantom{0}}$

$45 \div \boxed{\phantom{0}} = \boxed{\phantom{0}}$

## 08 잘못 계산한 곳을 찾아 바르게 계산하시오.

$$\begin{array}{r} 6\ 9 \\ \times\quad 2 \\ \hline 1\ 2\ 8 \end{array}$$
⇒
$$\begin{array}{r} 6\ 9 \\ \times\quad 2 \\ \hline \end{array}$$

## 09 곱을 잘못 구한 사람은 누구입니까?

$$\begin{array}{r} 3\ 6 \\ \times\quad 2 \\ \hline 6\ 2 \end{array}$$
현수

$$\begin{array}{r} 7\ 1 \\ \times\quad 5 \\ \hline 3\ 5\ 5 \end{array}$$
민규

( 　　　　　　 )

## 10 다음 세 수를 모두 이용하여 나눗셈식을 2개 만들어 보시오.

| 9 | 63 | 7 |

$\boxed{\phantom{0}} \div \boxed{\phantom{0}} = \boxed{\phantom{0}}$

$\boxed{\phantom{0}} \div \boxed{\phantom{0}} = \boxed{\phantom{0}}$

**11** 빈칸에 알맞은 수를 써넣으시오.

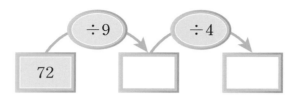

**12** 쿠키 27개를 한 명에게 9개씩 주려고 합니다. 몇 명에게 나누어 줄 수 있는지 두 가지 방법으로 구하시오.

뺄셈식 _____

나눗셈식 _____

답 _____

**13** 진성이는 한 바퀴의 거리가 92 m인 운동장을 3바퀴 달렸습니다. 진성이가 달린 거리는 모두 몇 m인지 곱셈식으로 나타내고 답을 구하시오.

식 _____

답 _____

**14** ☐ 안에 들어갈 수 있는 수를 모두 찾아 ○표 하시오.

$$87 \times \boxed{\phantom{x}} < 500$$

( 4 , 5 , 6 , 7 , 8 , 9 )

**15** 어떤 수를 3으로 나누었더니 몫이 7이 되었습니다. 어떤 수는 얼마입니까?

( _____ )

**16** 진아는 쿠키를 오전에 25개, 오후에 15개 구웠습니다. 쿠키를 친구 한 명에게 8개씩 주면 몇 명에게 나누어 줄 수 있습니까?

( _____ )

**17** 삼촌의 나이는 몇 살입니까?

( )

**18** 책을 더 많이 읽은 사람은 누구입니까?

( )

**19** ☐ 안에 알맞은 수를 써넣으시오.

$$
\begin{array}{r}
\boxed{\phantom{0}}\ \boxed{\phantom{0}} \\
\times \qquad 9 \\
\hline
3\quad 0\quad 6
\end{array}
$$

**20** 다람쥐 2마리가 하루에 도토리 6개를 먹습니다. 모든 다람쥐가 매일 똑같은 수의 도토리를 먹는다면 다람쥐 3마리가 도토리 27개를 먹는 데 며칠이 걸립니까?

( )

**01** 똑같이 나누어진 도형을 모두 찾아 기호를 써 보시오.

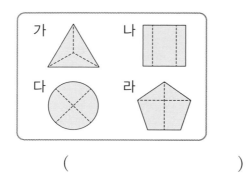

(                 )

**02** ☐ 안에 알맞은 수를 써넣으시오.

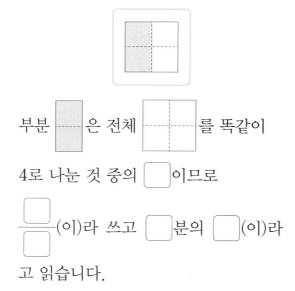

부분 ▨ 은 전체 ⊞ 를 똑같이

4로 나눈 것 중의 ☐ 이므로

☐/☐ (이)라 쓰고 ☐ 분의 ☐ (이)라

고 읽습니다.

**03** 도형은 정사각형입니다. ☐ 안에 알맞은 수를 써넣으시오.

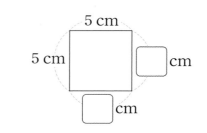

**04** 그림을 보고 ☐ 안에 알맞은 수나 말을 써넣으시오.

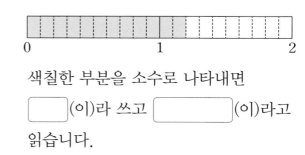

색칠한 부분을 소수로 나타내면

☐ (이)라 쓰고 ☐ (이)라고

읽습니다.

**05** 색칠한 부분을 분수로 쓰고 읽어 보시오.

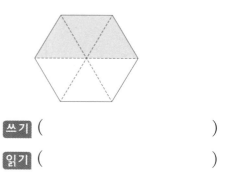

쓰기 (             )

읽기 (             )

06 관계있는 것끼리 이어 보시오.

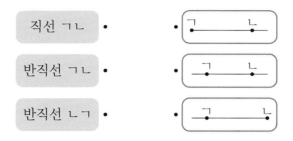

07 각의 꼭짓점과 변을 찾아 쓰고 각을 읽어 보시오.

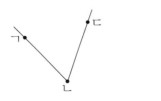

각의 꼭짓점 (                    )

각의 변 (                    )

각 읽기 (                    )

08 분수를 소수로 나타내고, 소수를 읽어 보시오.

| 분수 | 소수 | 읽기 |
|------|------|------|
| $\dfrac{9}{10}$ |      |      |

09 점을 이용하여 선분 ㄱㄴ과 직선 ㄷㄹ을 각각 그어 보시오.

10 삼각형 ㄱㄴㄷ에서 점 ㄴ을 옮겨 직각 삼각형을 만들려고 합니다. 점 ㄴ을 어느 점으로 옮겨야 합니까? (          )

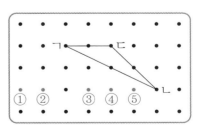

**11** 관계있는 것끼리 이어 보시오.

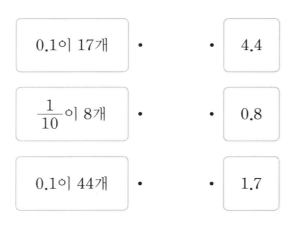

**12** 도형의 이름이 될 수 있는 것을 모두 찾아 기호를 써 보시오.

**13** 세 도형에 있는 각은 모두 몇 개입니까?

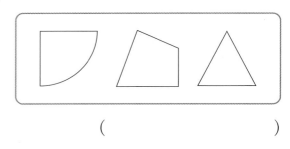

(                                )

**14** 직각의 수가 많은 도형부터 차례대로 기호를 써 보시오.

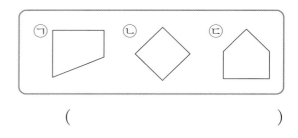

(                                )

**15** ☐ 안에 들어갈 수 있는 수를 모두 찾아 ○표 하시오.

$$6.2 < \boxed{\phantom{0}}.3$$

( 4 , 5 , 6 , 7 , 8 , 9 )

**16** 한 변의 길이가 20 cm인 정사각형의 네 변의 길이의 합은 몇 cm입니까?

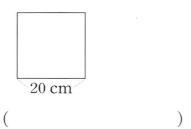

20 cm

( )

**17** 오공이가 말한 분수 중 $\frac{1}{10}$보다 큰 분수는 모두 몇 개입니까?

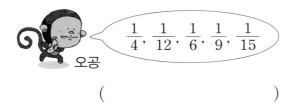

$\frac{1}{4}$, $\frac{1}{12}$, $\frac{1}{6}$, $\frac{1}{9}$, $\frac{1}{15}$

오공

( )

**18** 조건에 알맞은 분수를 모두 구하시오.

조건
• 분모가 9인 분수입니다.
• $\frac{4}{9}$보다 크고 $\frac{8}{9}$보다 작습니다.

( )

**19** 세희가 가지고 있는 빨간색 끈의 길이는 1.3 m, 파란색 끈의 길이는 $\frac{9}{10}$ m, 노란색 끈의 길이는 1.4 m입니다. 길이가 가장 긴 끈을 찾아 써 보시오.

( )

**20** 크기가 같은 직사각형 2개를 겹치지 않게 이어 붙여 만든 직사각형입니다. 만든 직사각형의 네 변의 길이의 합은 몇 cm입니까?

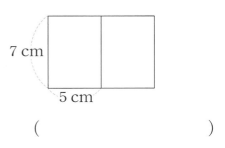

7 cm

5 cm

( )

초등생의 필수 학습!
탄탄하게 다져두자!

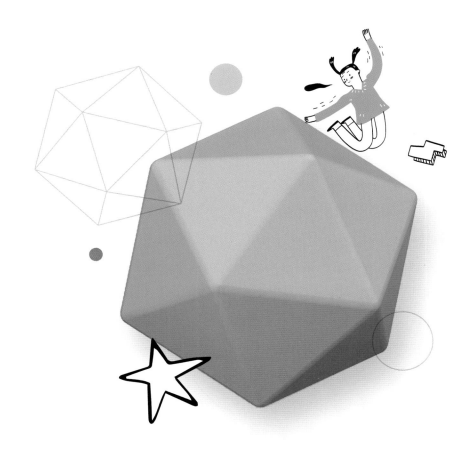

수학
전략

초등 **수학**

천재교육

초등생의 필수 학습!
탄탄하게 다져투자!

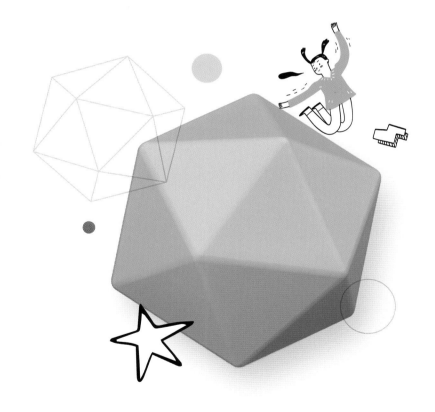

수학
전략

초등 **수학**

3·1

# 핵심개념&연산 집중연습

# 3·1

## 목차

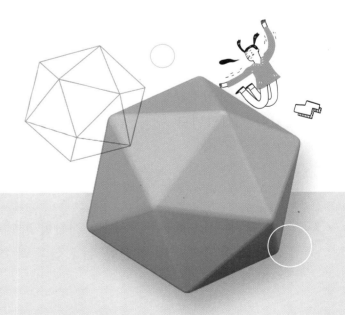

# 1 받아올림이 없는 세 자리 수의 덧셈

● 342+117의 계산

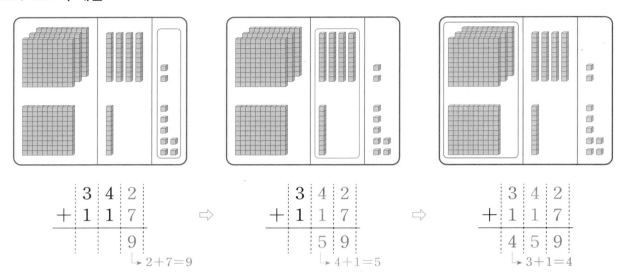

$$
\begin{array}{r}
3\ 4\ 2 \\
+\ 1\ 1\ 7 \\
\hline
9
\end{array}
\quad\Rightarrow\quad
\begin{array}{r}
3\ 4\ 2 \\
+\ 1\ 1\ 7 \\
\hline
5\ 9
\end{array}
\quad\Rightarrow\quad
\begin{array}{r}
3\ 4\ 2 \\
+\ 1\ 1\ 7 \\
\hline
4\ 5\ 9
\end{array}
$$
↳2+7=9          ↳4+1=5          ↳3+1=4

> 각 자리의 숫자를 맞추어 적고 일의 자리끼리, 십의 자리끼리, 백의 자리끼리 더한 값을 차례대로 씁니다.

**예제**
$$
\begin{array}{r}
1\ 2\ 4 \\
+\ 2\ 6\ 3 \\
\hline
\boxed{①}
\end{array}
\quad\Rightarrow\quad
\begin{array}{r}
1\ 2\ 4 \\
+\ 2\ 6\ 3 \\
\hline
\boxed{②}
\end{array}
\quad\Rightarrow\quad
\begin{array}{r}
1\ 2\ 4 \\
+\ 2\ 6\ 3 \\
\hline
\boxed{③}
\end{array}
$$

[답] ❶ 7  ❷ 87  ❸ 387

## 핵심체크

**1** (세 자리 수)+(세 자리 수)의 세로 계산은 각 자리의 숫자를 맞추어 적은 뒤 ( 같은 , 다른 ) 자리끼리 계산합니다.

**2** (세 자리 수)+(세 자리 수)를 계산할 때에는 일의 자리 숫자끼리 계산한 뒤 ( 일 , 십 )의 자리에, 십의 자리 숫자끼리 계산한 뒤 ( 십 , 백 )의 자리에, 백의 자리 숫자끼리 계산한 뒤 ( 백 , 천 )의 자리에 써 줍니다.

## 2 받아올림이 있는 세 자리 수의 덧셈

● 935＋186의 계산

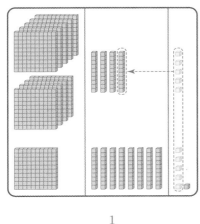 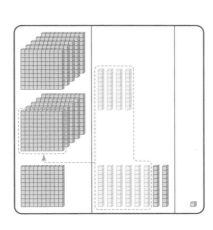 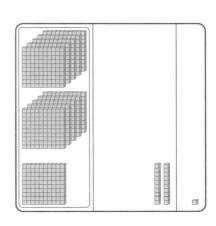

$$\begin{array}{r} \overset{1}{\phantom{+}9\;3\;5} \\ +\;1\;8\;6 \\ \hline \phantom{000}1 \end{array}$$
└→ 5+6=11

⇨

$$\begin{array}{r} \overset{1\;1}{\phantom{+}9\;3\;5} \\ +\;1\;8\;6 \\ \hline \phantom{00}2\;1 \end{array}$$
└→ 1+3+8=12

⇨

$$\begin{array}{r} \overset{1\;1}{\phantom{+}9\;3\;5} \\ +\;1\;8\;6 \\ \hline 1\;1\;2\;1 \end{array}$$
└→ 1+9+1=11

> 일의 자리에서 받아올림이 있으면 십의 자리에 받아올리고, 십의 자리에서 받아올림이 있으면 백의 자리에 받아올리고, 백의 자리에서 받아올림이 있으면 천의 자리에 받아올려 계산합니다.

예제
$$\begin{array}{r} \overset{1}{\phantom{+}7\;3\;9} \\ +\;6\;8\;5 \end{array}$$
❶

⇨

$$\begin{array}{r} \overset{1\;1}{\phantom{+}7\;3\;9} \\ +\;6\;8\;5 \end{array}$$
❷

⇨

$$\begin{array}{r} \overset{1\;1}{\phantom{+}7\;3\;9} \\ +\;6\;8\;5 \end{array}$$
❸

[답] ❶ 4 ❷ 24 ❸ 1424

## 핵심 체크

1 일의 자리에서 받아올림이 있으면 ( 일 , 십 )의 자리에 받아올려 계산합니다.

2 십의 자리에서 받아올림이 있으면 ( 십 , 백 )의 자리에 받아올려 계산합니다.

3 백의 자리에서 받아올림이 있으면 ( 백 , 천 )의 자리에 받아올려 계산합니다.

받아올림이 있으면 받아올림한 수를 바로 윗자리에 더해야 해요.

## 3 받아내림이 없는 세 자리 수의 뺄셈

● 438-213의 계산

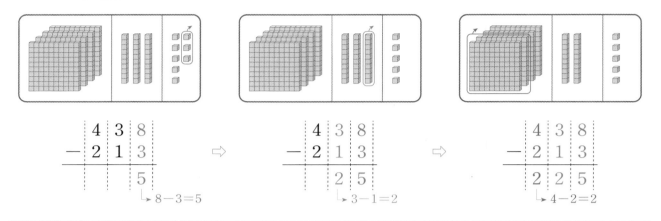

각 자리의 숫자를 맞추어 적고 일의 자리끼리, 십의 자리끼리, 백의 자리끼리 뺀 값을 차례대로 씁니다.

**예제**

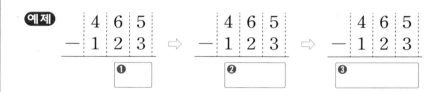

[답] ❶ 2 ❷ 42 ❸ 342

## 핵심체크

1 (세 자리 수)-(세 자리 수)의 세로 계산은 각 자리의 숫자를 맞추어 적은 뒤 ( 같은 , 다른 ) 자리끼리 계산합니다.

2 (세 자리 수)-(세 자리 수)를 계산할 때에는 일의 자리 숫자끼리 계산한 뒤 ( 일 , 십 )의 자리에, 십의 자리 숫자끼리 계산한 뒤 ( 십 , 백 )의 자리에, 백의 자리 숫자끼리 계산한 뒤 ( 백 , 천 )의 자리에 써 줍니다.

# 4 받아내림이 있는 세 자리 수의 뺄셈

● 524－165의 계산

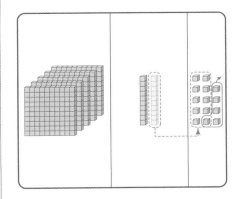 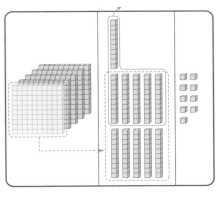 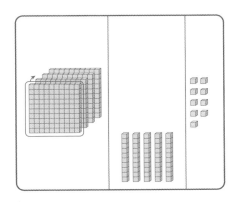

$$
\begin{array}{r}
{\scriptstyle 1\ 10}\\
5\ 2\ 4\\
-\ 1\ 6\ 5\\
\hline
9
\end{array}
$$
↳ 10＋4－5＝9

⇨

$$
\begin{array}{r}
{\scriptstyle 4\ 11\ 10}\\
5\ 2\ 4\\
-\ 1\ 6\ 5\\
\hline
5\ 9
\end{array}
$$
↳ 2－1＋10－6＝5

⇨

$$
\begin{array}{r}
{\scriptstyle 4\ 11\ 10}\\
5\ 2\ 4\\
-\ 1\ 6\ 5\\
\hline
3\ 5\ 9
\end{array}
$$
↳ 5－1－1＝3

> 일의 자리끼리 뺄 수 없으면 십의 자리에서 10을 일의 자리에 받아내려 계산하고, 십의 자리끼리 뺄 수 없으면 백의 자리에서 100을 십의 자리에 받아내려 계산합니다.

**예제**

$$
\begin{array}{r}
{\scriptstyle 5\ 10}\\
9\ 6\ 4\\
-\ 5\ 7\ 8\\
\hline
\boxed{❶}
\end{array}
$$

⇨

$$
\begin{array}{r}
{\scriptstyle 8\ 15\ 10}\\
9\ 6\ 4\\
-\ 5\ 7\ 8\\
\hline
\boxed{❷}
\end{array}
$$

⇨

$$
\begin{array}{r}
{\scriptstyle 8\ 15\ 10}\\
9\ 6\ 4\\
-\ 5\ 7\ 8\\
\hline
\boxed{❸}
\end{array}
$$

[답] ❶ 6 ❷ 86 ❸ 386

# 핵심체크

**1** 십의 자리에서 받아내림한 수는 일의 자리 위에 작게 ( 1, 10 )이라고 씁니다.

**2** 일의 자리끼리 뺄 수 없으면 ( 십 , 백 )의 자리에서 받아내려 계산합니다.

**3** 십의 자리끼리 뺄 수 없으면 ( 백 , 천 )의 자리에서 받아내려 계산합니다.

같은 자리 수끼리 뺄 수 없으면 바로 윗자리에서 받아내림 하여 빼야 해요.

# 집중 연습

**[01~16] 계산을 하시오.**

01
```
    2 6 1
  + 4 3 7
```

02
```
    6 3 4
  + 1 4 2
```

03
```
    4 1 7
  + 2 5 6
```

04
```
    3 5 6
  + 5 2 8
```

05
```
    1 7 5
  + 1 9 6
```

06
```
    5 2 3
  + 3 9 9
```

07
```
    2 8 5
  + 7 4 8
```

08
```
    4 7 6
  + 6 5 4
```

09
```
    9 5 6
  - 2 1 3
  ───────
```

10
```
    8 4 7
  - 3 2 5
  ───────
```

11
```
    6 7 8
  - 4 3 1
  ───────
```

12
```
    7 6 5
  - 5 2 9
  ───────
```

13
```
    5 8 2
  - 1 6 7
  ───────
```

14
```
    3 2 1
  - 1 8 3
  ───────
```

15
```
    7 3 8
  - 2 4 9
  ───────
```

16
```
    8 7 0
  - 6 8 5
  ───────
```

[17~22] □ 안에 알맞은 수를 써넣으시오.

**17**

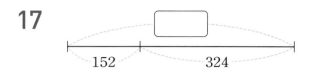

152   324

**18**

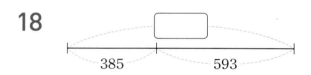

385   593

**19**

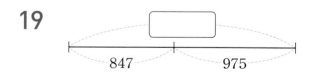

847   975

**20**

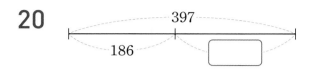

397
186

**21**

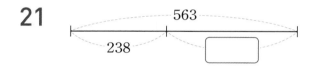

563
238

**22**

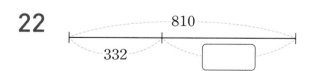

810
332

**[23~30]** 계산 결과의 크기를 비교하여 ◯ 안에 >, =, <를 알맞게 써넣으시오.

**23** $260+332$ ◯ $173+415$

**24** $517+162$ ◯ $344+351$

**25** $352+429$ ◯ $534+258$

**26** $293+574$ ◯ $193+636$

**27** $395-170$ ◯ $467-223$

**28** $586-253$ ◯ $794-482$

**29** $664-247$ ◯ $873-437$

**30** $780-335$ ◯ $962-534$

# 5 선분, 반직선, 직선 알아보기

## ❍ 선분 알아보기

두 점을 곧게 이은 선을 선분이라고 합니다.

⇨ 점 ㄱ과 점 ㄴ을 이은 선분을 선분 ㄱㄴ 또는 선분 ❶☐이라고 합니다.

## ❍ 반직선 알아보기

한 점에서 시작하여 한쪽으로 끝없이 늘인 곧은 선을 반직선이라고 합니다.

⇨ 점 ㄱ에서 시작하여 점 ㄴ을 지나는 반직선을 반직선 ㄱㄴ이라고 합니다.

⇨ 점 ㄴ에서 시작하여 점 ㄱ을 지나는 반직선을 반직선 ❷☐이라고 합니다.

## ❍ 직선 알아보기

선분을 양쪽으로 끝없이 늘인 곧은 선을 직선이라고 합니다.

⇨ 점 ㄱ과 점 ㄴ을 지나는 직선을 직선 ㄱㄴ 또는 직선 ❸☐이라고 합니다.

[답] ❶ ㄴㄱ ❷ ㄴㄱ ❸ ㄴㄱ

---

## 핵심체크

**1** 점 ㄱ과 점 ㄴ을 곧게 이은 선을 ( 선분 , 직선 ) ㄱㄴ이라고 합니다.

**2** 반직선 ㄱㄴ과 반직선 ㄴㄱ은 같다고 말할 수 있습니다. ( ○ , × )

반직선은 시작점에 따라 이름이 달라져요.

**3** 선분을 양쪽으로 끝없이 늘인 곧은 선을 ( 반직선 , 직선 )이라고 합니다.

# 6 각, 직각 알아보기

## ◉ 각 알아보기

한 점에서 그은 두 반직선으로 이루어진 도형을 각이라고 합니다.

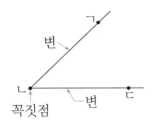

| 각 읽기 | 각 ㄱㄴㄷ 또는 각 ❶ |
|---|---|
| 각의 꼭짓점 | 점 ㄴ |
| 변 읽기 | 변 ㄴㄱ, 변 ❷ |

## ◉ 직각 알아보기

그림과 같이 종이를 반듯하게 두 번 접었을 때 생기는 각을 직각이라고 합니다.

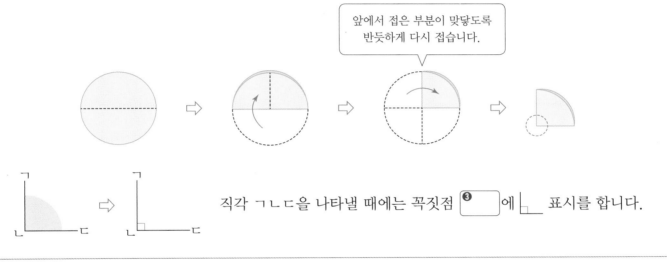

> 앞에서 접은 부분이 맞닿도록
> 반듯하게 다시 접습니다.

직각 ㄱㄴㄷ을 나타낼 때에는 꼭짓점 ❸ 에 ⌐ 표시를 합니다.

[답] ❶ ㄷㄴㄱ ❷ ㄴㄷ ❸ ㄴ

# 핵심 체크

**1** 한 점에서 그은 두 반직선으로 이루어진 도형을 ( 각 , 변 )이라고 합니다.

> 직각 삼각자의
> 직각인 부분을 대었을 때
> 꼭 맞게 겹쳐지는
> 각이 직각이에요.

**2** 직각을 나타낼 때에는 꼭짓점에 ( ⌐ , ⌐ ) 표시를 합니다.

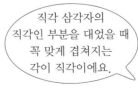

# 7 직각삼각형, 직사각형 알아보기

## ● 직각삼각형 알아보기

한 각이 직각인 삼각형을 직각삼각형이라고 합니다.

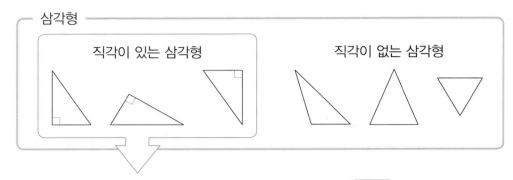

직각삼각형 ⇨ 직각삼각형에는 직각이 ❶ ⬜ 개 있습니다.

## ● 직사각형 알아보기

네 각이 모두 직각인 사각형을 직사각형이라고 합니다.

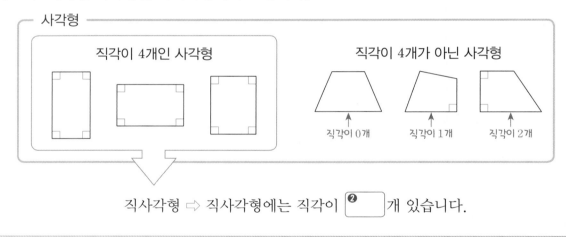

직사각형 ⇨ 직사각형에는 직각이 ❷ ⬜ 개 있습니다.

[답] ❶ 1  ❷ 4

## 핵심 체크

1 직각삼각형은 ( 한 , 두 ) 각이 직각인 삼각형입니다.

2 네 각이 모두 직각인 사각형을 ( 직각사각형 , 직사각형 )이라고 합니다.

직각삼각형은
직각이 1개,
직사각형은
직각이 4개예요.

## 8 정사각형 알아보기

### ● 정사각형 알아보기

네 각이 모두 직각이고 네 변의 길이가 모두 같은 사각형을 정사각형이라고 합니다.

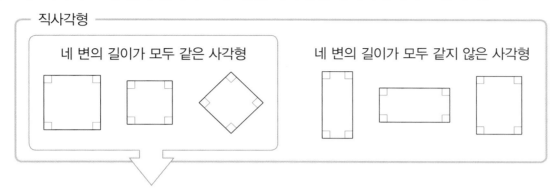

정사각형 ⇨ 정사각형에는 직각이 [❶    ]개 있습니다.

### ● 직사각형과 정사각형의 관계

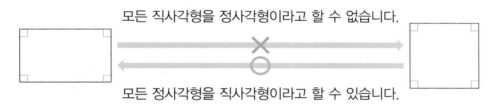

모든 직사각형을 정사각형이라고 할 수 없습니다.

모든 정사각형을 직사각형이라고 할 수 있습니다.

직사각형은 네 변의 길이가 모두 같지 않은 경우가 있으므로 정사각형이라 할 수 없습니다.

정사각형은 네 각이 모두 [❷    ]이므로 직사각형이라고 할 수 있습니다.

[답] ❶ 4  ❷ 직각

## 핵심체크

1  네 각이 모두 직각이고 네 변의 길이가 모두 같은 사각형을 ( 직사각형 , 정사각형 )이라고 합니다.

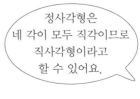

정사각형은
네 각이 모두 직각이므로
직사각형이라고
할 수 있어요.

2  모든 정사각형을 직사각형이라고 할 수 있습니다. ( ○ , × )

**[01~03] 도형의 이름을 써 보시오.**

01

( )

02
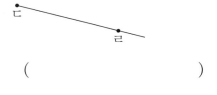
( )

03

( )

**[04~06] 각의 꼭짓점과 변을 써 보시오.**

04
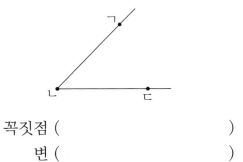
꼭짓점 ( )
변 ( )

05
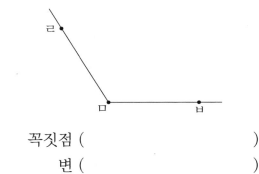
꼭짓점 ( )
변 ( )

06
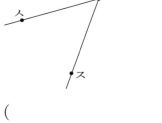
꼭짓점 ( )
변 ( )

**[ 07~09 ] 각을 읽어 보시오.**

**07**

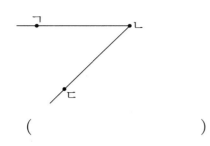

(             )

**08**

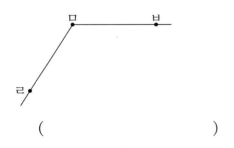

(             )

**09**

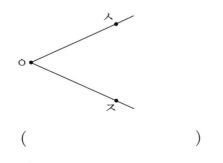

(             )

**[ 10~12 ] 직각삼각형이면 △표, 직사각형이면 □표 하시오.**

**10**

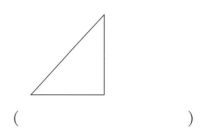

(             )

**11**

(             )

**12**

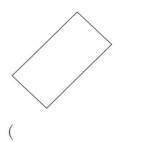

(             )

## 9 똑같이 나누기(1)

● 바둑돌 8개를 접시 2개에 똑같이 나누어 놓기

방법 1  1개씩 번갈아 가며 놓기

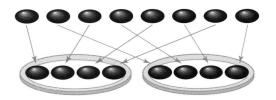

바둑돌을 1개씩 번갈아 가며 놓으면 한 접시에 ❶[　]개씩 놓을 수 있습니다.

방법 2  2개씩 번갈아 가며 놓기

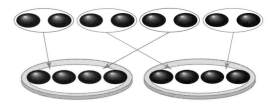

바둑돌을 2개씩 번갈아 가며 놓으면 한 접시에 ❷[　]개씩 놓을 수 있습니다.

8을 2로 나누면 4가 됩니다.

$$8 \div 2 = 4$$

8÷2=4와 같은 식을 나눗셈식이라 하고 8 나누기 2는 4와 같습니다라고 읽습니다. 이때 4는 8을 2로 나눈 몫, 8은 나누어지는 수, 2는 나누는 수라고 합니다.

[답] ❶ 4  ❷ 4

## 핵심체크

1  6÷3=2와 같은 식을 ( 곱셈식 , 나눗셈식 )이라고 합니다.

÷는 '나누기'로,
=는 '~와 같습니다.'로
읽어요.

2  6÷3=2에서 나누어지는 수는 ( 6 , 3 )이고 나누는 수는 ( 6 , 3 )입니다.

## 10 똑같이 나누기(2)

● **바둑돌 8개를 2개씩 덜어 내기**

바둑돌 8개를 2개씩 덜어 내면 **❶**[　] 번 덜어 낼 수 있습니다.

| 뺄셈으로 나타내기 | $8-2-2-2-2=0$ |
|---|---|

2개씩 4번 덜어 낼 수 있습니다.

> 8에서 2씩 4번 빼면 0이 됩니다.
> 이것을 나눗셈식으로 나타내면 $8÷2=4$입니다.
>
> $$8-\underbrace{2-2-2-2}_{4번}=0 \ \Rightarrow\ 8÷2=4$$
>
> 빼는 수 / 뺀 횟수

● **바둑돌 12개를 3개씩 묶어 보기**

바둑돌 12개를 3개씩 묶으면 4묶음이 됩니다.
$12-3-3-3-3=0$

⇨ 나눗셈식 **❷**[　] 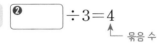 $÷3=4$

묶음 수

[답] ❶ 4 ❷ 12

## 핵심 체크

**1** 　10에서 2를 5번 빼면 0이 됩니다. 이것을 나눗셈식으로 나타내면 ( $10÷2=5$ , $10÷5=2$ )입니다.

**2** 　뺄셈식 $18-3-3-3-3-3-3=0$을 나눗셈식으로 나타내면 ( $18÷3=6$ , $18÷6=3$ )입니다.

## 11 곱셈과 나눗셈의 관계

**◉ 바둑돌 16개를 똑같이 나누기**

바둑돌의 수　　$8 \times 2 = 16$

$2 \times 8 = 16$

① 바둑돌을 8개씩 묶을 때

바둑돌은 2묶음이 됩니다.

⇨ $16 \div 8 = \boxed{❶}$

**곱셈식을 나눗셈식으로 나타내기**

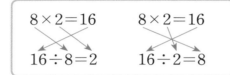

② 바둑돌을 2개씩 묶을 때

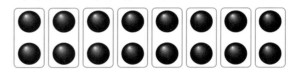

바둑돌은 8묶음이 됩니다.

⇨ $16 \div 2 = \boxed{❷}$

**나눗셈식을 곱셈식으로 나타내기**

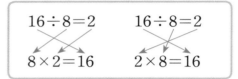

[답] ❶ 2　❷ 8

## 핵심체크

**1**　곱셈식 $3 \times 4 = 12$를 나눗셈식으로 나타내면 $12 \div 3 = ( \ 3 \ , \ 4 \ )$입니다.

곱셈식을
나눗셈식으로 나타낼 때
위치가 어떻게 변하는지에
주의해요.

**2**　곱셈식 $6 \times 9 = 54$를 나눗셈식으로 나타내면 $54 \div 9 = ( \ 6 \ , \ 9 \ )$입니다.

## 12 나눗셈의 몫 구하기

● 나눗셈의 몫을 곱셈식을 이용하여 구하기 — 예 $27 \div 9$의 몫 구하기

$27 \div 9 = \square$의 몫 $\square$는 $9 \times 3 = 27$을 이용해 구할 수 있습니다.

$9 \times 3 = 27$

$27 \div 9 = \square$

➡ $27 \div 9$의 몫은 [❶___]입니다.

● 나눗셈의 몫을 곱셈표를 이용하여 구하기 — 예 $18 \div 2$의 몫 구하기

| × | 1 | 2 | 3 | 4 | 5 | 6 | 7 | 8 | 9 |
|---|---|---|---|---|---|---|---|---|---|
| 1 | 1 | 2 | 3 | 4 | 5 | 6 | 7 | 8 | 9 |
| 2 | 2 | 4 | 6 | 8 | 10 | 12 | 14 | 16 | 18 |
| 3 | 3 | 6 | 9 | 12 | 15 | 18 | 21 | 24 | 27 |
| 4 | 4 | 8 | 12 | 16 | 20 | 24 | 28 | 32 | 36 |
| 5 | 5 | 10 | 15 | 20 | 25 | 30 | 35 | 40 | 45 |
| 6 | 6 | 12 | 18 | 24 | 30 | 36 | 42 | 48 | 54 |
| 7 | 7 | 14 | 21 | 28 | 35 | 42 | 49 | 56 | 63 |
| 8 | 8 | 16 | 24 | 32 | 40 | 48 | 56 | 64 | 72 |
| 9 | 9 | 18 | 27 | 36 | 45 | 54 | 63 | 72 | 81 |

① 곱셈표의 가로와 세로에서 나누는 수의 단 곱셈구구를 찾습니다.

➡ [❷___]의 단 곱셈구구

② ①의 곱셈구구에서 곱이 나누어지는 수가 되는 곱셈식을 찾습니다.

➡ $2 \times 9 = $ [❸___]

③ ②의 곱셈식에서 곱하는 수가 나눗셈의 몫입니다.

$2 \times 9 = 18$ ➡ $18 \div 2 = $ [❹___]

[답] ❶ 3  ❷ 2  ❸ 18  ❹ 9

## 핵심 체크

1 $2 \times 6 = 12$이므로 $12 \div 2$의 몫은 ( 2 , 6 )입니다.

2 $28 \div 4$의 몫을 곱셈구구로 구하려면 ( 4 , 8 )의 단 곱셈구구를 이용해야 합니다.

# 집중 연습

**[01~04] 곱셈식을 나눗셈식으로 바꿔 보시오.**

**01**

$7 \times 2 = 14$
$14 \div 7 = \boxed{\phantom{0}}$
$14 \div 2 = \boxed{\phantom{0}}$

**02**

$4 \times 5 = 20$
$20 \div 4 = \boxed{\phantom{0}}$
$20 \div 5 = \boxed{\phantom{0}}$

**03**

$6 \times 7 = 42$
$42 \div \boxed{\phantom{0}} = 7$
$42 \div \boxed{\phantom{0}} = 6$

**04**

$9 \times 4 = 36$
$36 \div \boxed{\phantom{0}} = 4$
$36 \div \boxed{\phantom{0}} = 9$

**[05~08] 나눗셈식을 곱셈식으로 바꿔 보시오.**

**05**

$16 \div 2 = 8$
$2 \times \boxed{\phantom{0}} = 16$
$8 \times \boxed{\phantom{0}} = 16$

**06**

$27 \div 3 = 9$
$3 \times \boxed{\phantom{0}} = 27$
$9 \times \boxed{\phantom{0}} = 27$

**07**

$35 \div 7 = 5$
$\boxed{\phantom{0}} \times 5 = 35$
$\boxed{\phantom{0}} \times 7 = 35$

**08**

$56 \div 8 = 7$
$\boxed{\phantom{0}} \times 7 = 56$
$\boxed{\phantom{0}} \times 8 = 56$

**[ 09~16 ] 곱셈식을 이용하여 나눗셈의 몫을 구하려고 합니다. ☐ 안에 알맞은 수를 써넣으시오.**

**09** $8 \times 5 = 40$이므로 $40 \div 8$의 몫은 ☐입니다.

**10** $7 \times 4 = 28$이므로 $28 \div 7$의 몫은 ☐입니다.

**11** $4 \times 8 = 32$이므로 $32 \div 4$의 몫은 ☐입니다.

**12** $6 \times 3 = 18$이므로 $18 \div 6$의 몫은 ☐입니다.

**13** $9 \times 5 = 45$이므로 $45 \div 5$의 몫은 ☐입니다.

**14** $3 \times 7 = 21$이므로 $21 \div 7$의 몫은 ☐입니다.

**15** $6 \times 8 = 48$이므로 $48 \div 8$의 몫은 ☐입니다.

**16** $7 \times 9 = 63$이므로 $63 \div 9$의 몫은 ☐입니다.

# 집중 연습

[17~24] 곱셈표를 이용하여 나눗셈의 몫을 구하려고 합니다. □ 안에 알맞은 수를 써넣으시오.

**17**

| × | 1 | 2 | 3 | 4 | 5 | 6 | 7 | 8 | 9 |
|---|---|---|---|---|---|---|---|---|---|
| 2 | 2 | 4 | 6 | 8 | 10 | 12 | 14 | 16 | 18 |

$12 \div 2 = \boxed{\phantom{0}}$

**18**

| × | 1 | 2 | 3 | 4 | 5 | 6 | 7 | 8 | 9 |
|---|---|---|---|---|---|---|---|---|---|
| 3 | 3 | 6 | 9 | 12 | 15 | 18 | 21 | 24 | 27 |

$24 \div 3 = \boxed{\phantom{0}}$

**19**

| × | 1 | 2 | 3 | 4 | 5 | 6 | 7 | 8 | 9 |
|---|---|---|---|---|---|---|---|---|---|
| 4 | 4 | 8 | 12 | 16 | 20 | 24 | 28 | 32 | 36 |

$20 \div 4 = \boxed{\phantom{0}}$

**20**

| × | 1 | 2 | 3 | 4 | 5 | 6 | 7 | 8 | 9 |
|---|---|---|---|---|---|---|---|---|---|
| 5 | 5 | 10 | 15 | 20 | 25 | 30 | 35 | 40 | 45 |

$40 \div 5 = \boxed{\phantom{0}}$

**21**

| × | 1 | 2 | 3 | 4 | 5 | 6 | 7 | 8 | 9 |
|---|---|---|---|---|---|---|---|---|---|
| 6 | 6 | 12 | 18 | 24 | 30 | 36 | 42 | 48 | 54 |

$36 \div 6 = \boxed{\phantom{0}}$

**22**

| × | 1 | 2 | 3 | 4 | 5 | 6 | 7 | 8 | 9 |
|---|---|---|---|---|---|---|---|---|---|
| 7 | 7 | 14 | 21 | 28 | 35 | 42 | 49 | 56 | 63 |

$56 \div 7 = \boxed{\phantom{0}}$

**23**

| × | 1 | 2 | 3 | 4 | 5 | 6 | 7 | 8 | 9 |
|---|---|---|---|---|---|---|---|---|---|
| 8 | 8 | 16 | 24 | 32 | 40 | 48 | 56 | 64 | 72 |

$72 \div 8 = \boxed{\phantom{0}}$

**24**

| × | 1 | 2 | 3 | 4 | 5 | 6 | 7 | 8 | 9 |
|---|---|---|---|---|---|---|---|---|---|
| 9 | 9 | 18 | 27 | 36 | 45 | 54 | 63 | 72 | 81 |

$54 \div 9 = \boxed{\phantom{0}}$

[25~32] **몫의 크기를 비교하여 ○ 안에 >, =, <를 알맞게 써넣으시오.**

**25** $10 \div 2$ ◯ $16 \div 4$

**26** $30 \div 5$ ◯ $21 \div 3$

**27** $28 \div 4$ ◯ $32 \div 8$

**28** $18 \div 2$ ◯ $49 \div 7$

**29** $63 \div 7$ ◯ $42 \div 6$

**30** $16 \div 8$ ◯ $35 \div 5$

**31** $54 \div 6$ ◯ $64 \div 8$

**32** $48 \div 6$ ◯ $81 \div 9$

## 13 (몇십)×(몇), 올림이 없는 (몇십몇)×(몇)

◉ 20×3의 계산

• 20×3의 계산 방법 알아보기

◉ 12×3의 계산

• 12×3을 수 모형으로 알아보기

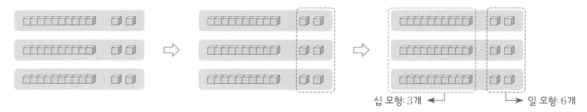

십 모형: 3개 ◄───      ───► 일 모형: 6개

① 일 모형의 수: 2×3=6

② 십 모형의 수: 1×3=3

⇨ 십 모형이 3개이므로 **❶**[    ]입니다.

⇨ 12×3=**❷**[    ]

• 12×3의 계산 방법 알아보기

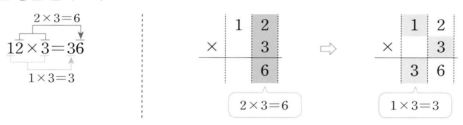

[답] ❶ 30  ❷ 36

## 핵심 체크

1  20×4는 2×4의 계산 결과에 ( 0 , 1 )을 붙입니다.

(몇십)×(몇)은 (몇)×(몇)의 계산 결과에 0을 붙여요.

2  21×4에서 1과 4의 곱은 ( 일 , 십 )의 자리에 쓰고, 2와 4의 곱은 ( 일 , 십 )의 자리에 씁니다.

# 14 십의 자리에서 올림이 있는 (몇십몇)×(몇)

● **64×2의 계산**

• 64×2를 수 모형으로 알아보기

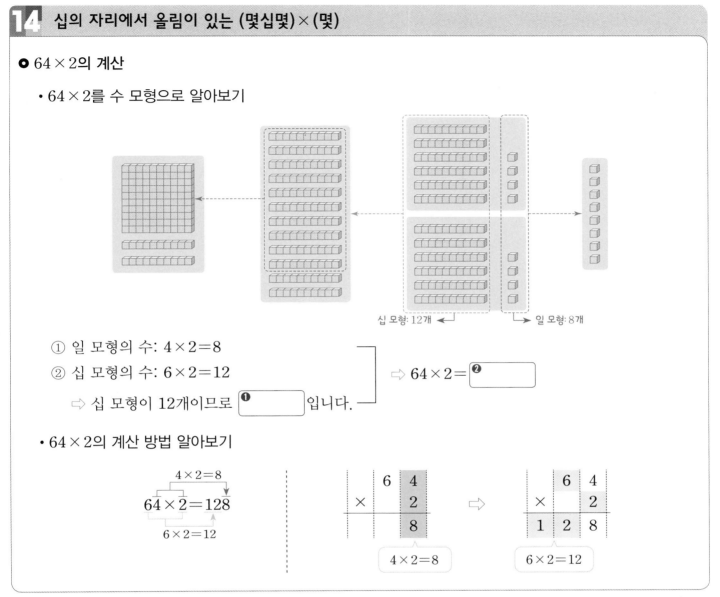

십 모형: 12개 ◄───── ───► 일 모형: 8개

① 일 모형의 수: 4×2=8
② 십 모형의 수: 6×2=12

⇨ 십 모형이 12개이므로 **❶**⬚ 입니다.

⇨ 64×2=**❷**⬚

• 64×2의 계산 방법 알아보기

$$4×2=8$$
$$64×2=128$$
$$6×2=12$$

$$\begin{array}{r} 6\ 4 \\ ×\quad 2 \\ \hline 8 \end{array}$$   ⇨   $$\begin{array}{r} 6\ 4 \\ ×\quad 2 \\ \hline 1\ 2\ 8 \end{array}$$

4×2=8                    6×2=12

[답] ❶ 120 ❷ 128

## 핵심체크

**1** 53×3에서 3과 3의 곱은 ( 일 , 십 )의 자리에 쓰고, 5와 3의 곱은 십의 자리와 ( 일 , 백 )의 자리에 씁니다.

**2** 21×5는 ( 95 , 105 )입니다.

십의 자리에서 올림한 수는 백의 자리에 써야 해요.

# 15 일의 자리에서 올림이 있는 (몇십몇)×(몇)

◉ 26×3의 계산

· 26×3을 수 모형으로 알아보기

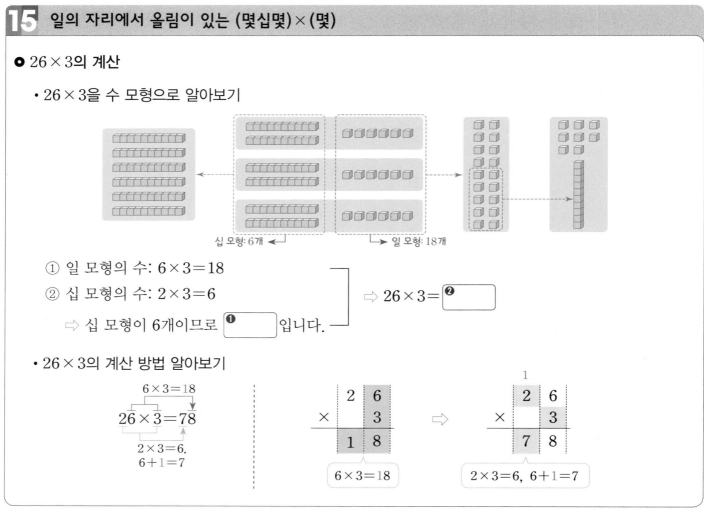

십 모형: 6개 ← → 일 모형: 18개

① 일 모형의 수: $6 \times 3 = 18$

② 십 모형의 수: $2 \times 3 = 6$

⇨ 십 모형이 6개이므로 **❶** 입니다.

⇨ $26 \times 3 =$ **❷**

· 26×3의 계산 방법 알아보기

$6 \times 3 = 18$

$26 \times 3 = 78$

$2 \times 3 = 6$,
$6 + 1 = 7$

$6 \times 3 = 18$

$2 \times 3 = 6$, $6 + 1 = 7$

[답] ❶ 60  ❷ 78

## 핵심 체크

1   일의 자리에서 올림한 수는 ( 일 , 십 )의 자리를 계산할 때 같이 더해 줍니다.

2   $19 \times 4$는 ( 46 , 76 )입니다.

일의 자리에서 올림한 수는 십의 자리를 계산할 때 더해야 해요.

# 16 십, 일의 자리에서 올림이 있는 (몇십몇)×(몇)

● 45×3의 계산

• 45×3을 수 모형으로 알아보기

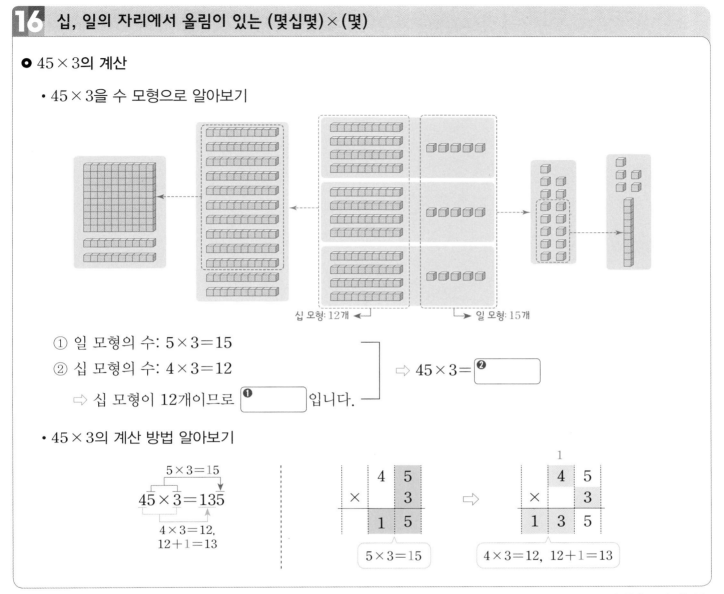

십 모형: 12개    일 모형: 15개

① 일 모형의 수: $5 \times 3 = 15$

② 십 모형의 수: $4 \times 3 = 12$

⇨ 십 모형이 12개이므로 ❶ [      ]입니다.

⇨ $45 \times 3 = $ ❷ [      ]

• 45×3의 계산 방법 알아보기

$5 \times 3 = 15$

$45 \times 3 = 135$

$4 \times 3 = 12,$
$12 + 1 = 13$

|   | | 4 | 5 |
|---|---|---|---|
| × | | | 3 |
|   | | 1 | 5 |

$5 \times 3 = 15$

⇨

|   | | 1 4 | 5 |
|---|---|---|---|
| × | | | 3 |
|   | 1 | 3 | 5 |

$4 \times 3 = 12,\ 12 + 1 = 13$

[답] ❶ 120  ❷ 135

## 핵심체크

1 일의 자리에서 올림한 수는 ( 일 , 십 )의 자리 계산에 더하고, 십의 자리에서 올림한 수는
( 십 , 백 )의 자리에 씁니다.

2 65×3은 ( 185 , 195 )입니다.

올림이 있으면
올림한 수를 같은 자리를
계산할 때 더해야
해요.

# 집중 연습

[01~16] 계산을 하시오.

**01**

$$\begin{array}{r} 3\ 2 \\ \times\quad 3 \\ \hline \end{array}$$

**02**

$$\begin{array}{r} 2\ 1 \\ \times\quad 8 \\ \hline \end{array}$$

**03**

$$\begin{array}{r} 4\ 2 \\ \times\quad 3 \\ \hline \end{array}$$

**04**

$$\begin{array}{r} 7\ 3 \\ \times\quad 2 \\ \hline \end{array}$$

**05**

$$\begin{array}{r} 3\ 1 \\ \times\quad 9 \\ \hline \end{array}$$

**06**

$$\begin{array}{r} 8\ 3 \\ \times\quad 3 \\ \hline \end{array}$$

**07**

$$\begin{array}{r} 1\ 2 \\ \times\quad 6 \\ \hline \end{array}$$

**08**

$$\begin{array}{r} 2\ 5 \\ \times\quad 3 \\ \hline \end{array}$$

09
$$\begin{array}{r} 3\ 9 \\ \times\quad 2 \\ \hline \end{array}$$

13
$$\begin{array}{r} 4\ 7 \\ \times\quad 3 \\ \hline \end{array}$$

10
$$\begin{array}{r} 1\ 7 \\ \times\quad 3 \\ \hline \end{array}$$

14
$$\begin{array}{r} 6\ 2 \\ \times\quad 7 \\ \hline \end{array}$$

11
$$\begin{array}{r} 2\ 8 \\ \times\quad 2 \\ \hline \end{array}$$

15
$$\begin{array}{r} 9\ 8 \\ \times\quad 4 \\ \hline \end{array}$$

12
$$\begin{array}{r} 2\ 6 \\ \times\quad 5 \\ \hline \end{array}$$

16
$$\begin{array}{r} 7\ 6 \\ \times\quad 8 \\ \hline \end{array}$$

[17~22] 빈칸에 알맞은 수를 써넣으시오.

**17**
64
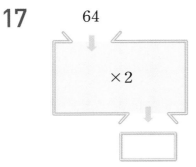
×2

**18**
83
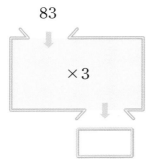
×3

**19**
17
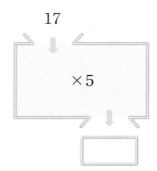
×5

**20**
36
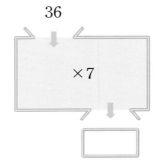
×7

**21**
59
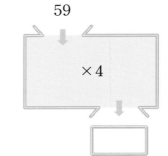
×4

**22**
72
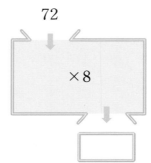
×8

**[ 23~30 ]** 계산 결과의 크기를 비교하여 ◯ 안에 >, =, <를 알맞게 써넣으시오.

**23** $30 \times 3$ ◯ $40 \times 2$

**27** $36 \times 4$ ◯ $47 \times 3$

**24** $21 \times 4$ ◯ $32 \times 3$

**28** $48 \times 7$ ◯ $67 \times 5$

**25** $62 \times 4$ ◯ $73 \times 3$

**29** $59 \times 8$ ◯ $64 \times 7$

**26** $38 \times 2$ ◯ $27 \times 3$

**30** $94 \times 8$ ◯ $86 \times 9$

## 17 1 cm보다 작은 단위 알아보기

○ **1 cm보다 작은 단위**

· 1 mm: 1 cm를 10칸으로 똑같이 나누었을 때 작은 눈금 한 칸의 길이

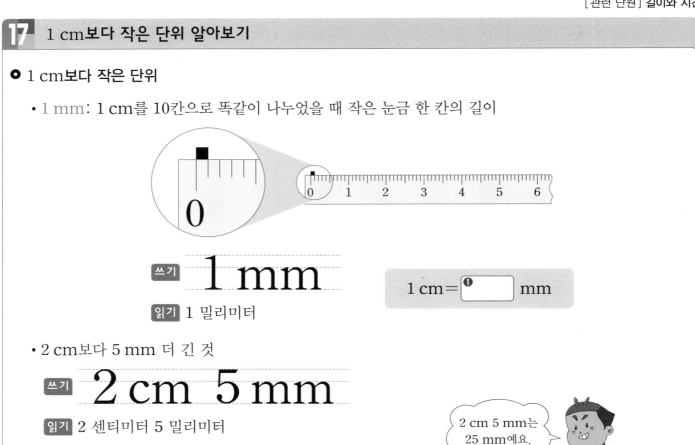

쓰기 **1 mm**

읽기 1 밀리미터

$$1 \, cm = \boxed{❶} \, mm$$

· 2 cm보다 5 mm 더 긴 것

쓰기 **2 cm 5 mm**

읽기 2 센티미터 5 밀리미터

2 cm 5 mm = 2 cm + 5 mm

$$= 20 \, mm + 5 \, mm = \boxed{❷} \, mm$$

2 cm 5 mm는 25 mm예요.

[답] ❶ 10  ❷ 25

## 핵심체크

**1**  1 cm는 ( 10 mm , 100 mm )입니다.

**2**  5 cm보다 7 mm 더 긴 것을 ( 57 cm , 5 cm 7 mm )라고 씁니다.

## 18 1 m보다 큰 단위 알아보기

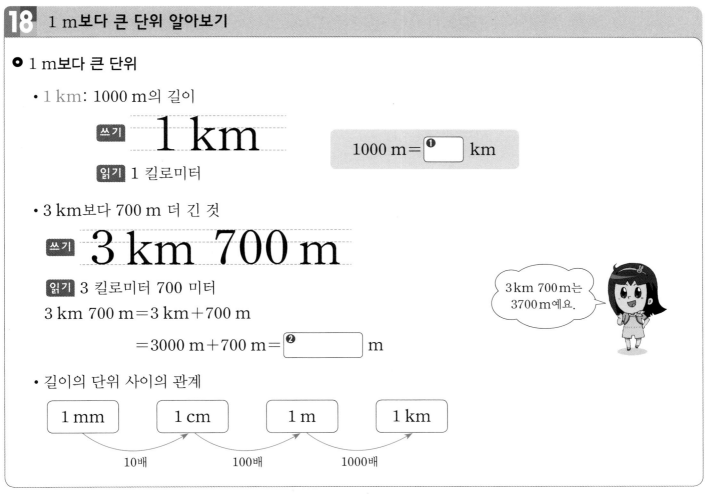

**○ 1 m보다 큰 단위**

• 1 km: 1000 m의 길이

쓰기 **1 km**

읽기 1 킬로미터

$$1000 \text{ m} = \boxed{\text{❶}} \text{ km}$$

• 3 km보다 700 m 더 긴 것

쓰기 **3 km 700 m**

읽기 3 킬로미터 700 미터

3 km 700 m = 3 km + 700 m

$$= 3000 \text{ m} + 700 \text{ m} = \boxed{\text{❷}} \text{ m}$$

3km 700m는 3700m예요.

• 길이의 단위 사이의 관계

| 1 mm | → 10배 → | 1 cm | → 100배 → | 1 m | → 1000배 → | 1 km |

[답] ❶ 1 ❷ 3700

## 핵심체크

**1** 1 km는 ( 100 m , **1000 m** )입니다.

**2** 4 km보다 800 m 더 긴 것을 ( 48 km , **4 km 800 m** )라고 씁니다.

## 19 길이와 거리를 어림하고 재어 보기

**◉ 주변에 있는 물건의 길이를 어림하기**

물건 하나를 정해 길이를 자로 재고 그 물건의 길이를 이용하여 다른 물건의 길이를 어림해 봅니다.

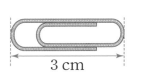 

3 cm

⇨ 지우개의 길이는 약 **❶** ☐ cm입니다.

**◉ 알맞은 단위 사용하기**

주어진 수에 따라 cm보다 더 짧은 길이를 나타낼 때에는 mm를 사용하고 m보다 더 긴 길이를 나타낼 때에는 km를 사용합니다.

⑩ 과자의 길이는 약 32 ( (mm) , c̶m̶ )입니다.

둘레길의 전체 길이는 약 5 ( m̶ , (km) )입니다.

**◉ 거리 어림하기**

주어진 거리의 몇 배인지 구하여 거리를 어림할 수 있습니다.

학교          우체국          소방서          공원

약 1 km

⇨ 학교에서 소방서까지의 거리는 학교에서 우체국까지의 거리의 2배이므로 약 2 km입니다.

학교에서 공원까지의 거리는 학교에서 우체국까지의 거리의 3배이므로 약 **❷** ☐ km입니다.

[답] ❶ 3  ❷ 3

## 핵심체크

**1** 연필의 길이는 약 15 ( cm , m )입니다.

100 cm보다 더 긴 길이는 m로 나타내는 것이 좋아요.

**2** 3층 건물의 높이는 약 10 ( cm , m )입니다.

## 20 1분보다 작은 단위 알아보기

### ● 1초 알아보기

초바늘이 작은 눈금 한 칸을 가는 동안 걸리는 시간을 1초라고 합니다.

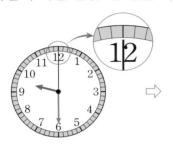 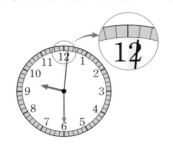

작은 눈금 한 칸 = ❶ ☐ 초

### ● 60초 알아보기

작은 눈금 60칸

초바늘이 시계를 한 바퀴 도는 데 걸리는 시간은 60초입니다.

60초 = ❷ ☐ 분

### ● 시각 읽기

시계에서 짧은바늘은 시, 긴바늘은 분, 초바늘은 초를 나타냅니다.

짧은바늘: 11과 12 사이를 가리킴
⇨ 11시

긴바늘: 3을 지났음
⇨ 15분

초바늘: 7에서 작은 눈금으로
2칸 더 감 ⇨ 37초

초바늘이 가리키는 숫자와 나타내는 시각

| 가리키는 숫자 | 1 | 2 | 3 | 4 | 5 | 6 | 7 | 8 | 9 | 10 | 11 |
|---|---|---|---|---|---|---|---|---|---|---|---|
| 나타내는 시각(초) | 5 | 10 | 15 | 20 | 25 | 30 | 35 | 40 | 45 | 50 | 55 |

⇨ 11시 15분 37초

[답] ❶ 1 ❷ 1

## 핵심체크

1 초바늘이 작은 눈금 한 칸을 가는 동안 걸리는 시간은 ( 1초 , 1분 )입니다.

2 초바늘이 시계를 한 바퀴 도는 데 걸리는 시간은 ( 1초 , 60초 )입니다.

## 21 시간의 덧셈 알아보기

### ◎ 시간의 덧셈

시는 시끼리, 분은 분끼리, 초는 초끼리 계산합니다.

**• 받아올림이 없는 시간의 덧셈**

① (시간)＋(시간)＝(시간)

| | 4시간 | 10분 | 25초 |
|---|---|---|---|
| ＋ | 1시간 | 25분 | 20초 |
| | 5시간 | 35분 | 45초 |

4＋1＝5    10＋25＝35    25＋20＝45

② (시각)＋(시간)＝(시각)

| | 4시 | 35분 | 10초 |
|---|---|---|---|
| ＋ | 1시간 | 20분 | 30초 |
| | 5시 | 55분 | 40초 |

4＋1＝5    35＋20＝55    10＋30＝40

**• 받아올림이 있는 시간의 덧셈**

① (시간)＋(시간)＝(시간)

| | 1시간 | 30분 | 50초 |
|---|---|---|---|
| ＋ | 2시간 | 25분 | 15초 |
| | 3시간 | 55분 | 65초 |

＋1분 ◀ －60초

| 3시간 | 56분 | ❶ 초 |
|---|---|---|

60초를 1분으로 받아올림합니다.

② (시각)＋(시간)＝(시각)

| | 2시 | 20분 | 35초 |
|---|---|---|---|
| ＋ | 3시간 | 45분 | 10초 |
| | 5시 | 65분 | 45초 |

＋1시간 ◀ －60분

| 6시 | ❷ 분 | 45초 |
|---|---|---|

60분을 1시간으로 받아올림합니다.

[답] ❶ 5   ❷ 5

## 핵심체크

**1** 60초는 ( 1분 , 1시간 )으로 받아올림하여 계산합니다.

> 초끼리나 분끼리의 합이 60이거나 60보다 크면 받아올림하여 계산해요.

**2** 60분은 ( 1분 , 1시간 )으로 받아올림하여 계산합니다.

# 22 시간의 뺄셈 알아보기

## ◉ 시간의 뺄셈

시는 시끼리, 분은 분끼리, 초는 초끼리 계산합니다.

• 받아내림이 없는 시간의 뺄셈

① (시간) − (시간) = (시간)

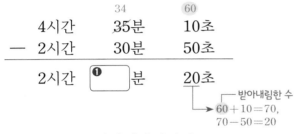

$8-3=5$    $15-5=10$    $40-20=20$

② (시각) − (시간) = (시각)

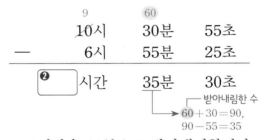

$9-2=7$    $55-40=15$    $30-15=15$

• 받아내림이 있는 시간의 뺄셈

① (시간) − (시간) = (시간)

|   |  34  |  60  |
|---|---|---|
| 4시간 | 3̶5̶분 | 10초 |
| − 2시간 | 30분 | 50초 |
| 2시간 | ❶☐ 분 | 20초 |

받아내림한 수
→ $60+10=70$,
$70-50=20$

1분을 60초로 받아내림합니다.

② (시각) − (시각) = (시간)

|   |  9  |  60  |   |
|---|---|---|---|
| 1̶0̶시 | 30분 | 55초 |
| − 6시 | 55분 | 25초 |
| ❷☐ 시간 | 35분 | 30초 |

받아내림한 수
→ $60+30=90$,
$90-55=35$

1시간을 60분으로 받아내림합니다.

[답] ❶ 4  ❷ 3

## 핵심체크

1  초끼리 뺄 수 없으면 1분을 ( 10초 , 60초 )로 받아내림하여 계산합니다.

> 초끼리나 분끼리
> 뺄 수 없으면 분이나
> 시에서 받아내림하여
> 계산해요.

2  분끼리 뺄 수 없으면 1시간을 ( 10분 , 60분 )으로 받아내림하여 계산합니다.

# 집중 연습

[01~12] □ 안에 알맞은 수를 써넣으시오.

**01** 30 mm = ☐ cm

**02** 50 mm = ☐ cm

**03** 27 mm = ☐ cm ☐ mm

**04** 6000 m = ☐ km

**05** 8000 m = ☐ km

**06** 9400 m = ☐ km ☐ m

**07** 2분 = ☐ 초

**08** 7분 = ☐ 초

**09** 5분 20초 = ☐ 초

**10** 180초 = ☐ 분

**11** 360초 = ☐ 분

**12** 270초 = ☐ 분 ☐ 초

**[ 13~20 ] 계산을 하시오.**

**13**
    2 시간   10 분   45 초
+ 3 시간   20 분   40 초

**14**
    4 시간   30 분   20 초
+ 1 시간   50 분   30 초

**15**
    5 시   20 분   50 초
+ 3 시간   30 분   40 초

**16**
    6 시   40 분   15 초
+ 2 시간   50 분   20 초

**17**
    8 시간   30 분   25 초
− 1 시간   10 분   50 초

**18**
    9 시간   10 분   40 초
− 2 시간   40 분   30 초

**19**
    6 시   45 분   20 초
− 1 시간   20 분   30 초

**20**
    7 시   20 분   50 초
− 2 시간   35 분   15 초

## 23 똑같이 나누기, 분수 알아보기

### ◎ 똑같이 나누기

〈똑같이 둘로 나누기〉   〈똑같이 셋으로 나누기〉   〈똑같이 넷으로 나누기〉

- 똑같이 나누어진 것은 크기와 모양이 모두 같습니다.
- 똑같이 나눈 도형은 서로 겹쳐 보았을 때 완전히 포개어집니다.

### ◎ 분수 알아보기

부분 ◗은 전체 ◯를 똑같이 2로 나눈 것 중의 **❶**[　]입니다.

전체를 똑같이 2로 나눈 것 중의 1을 $\frac{1}{2}$이라고 쓰고 2분의 1이라고 읽습니다.

부분 ◗은 전체 ◯를 똑같이 3으로 나눈 것 중의 **❷**[　]입니다.

전체를 똑같이 3으로 나눈 것 중의 2를 $\frac{2}{3}$라 쓰고 3분의 2라고 읽습니다.

$\frac{1}{2}$, $\frac{2}{3}$와 같은 수를 분수라고 합니다.

$\frac{1}{2}$ ← 분자   $\frac{2}{3}$ ← 분자
　 ← 분모　　　 ← 분모

[답] ❶ 1　❷ 2

## 핵심 체크

**1** $\frac{3}{4}$, $\frac{2}{5}$와 같은 수를 ( 분수 , 소수 )라고 합니다.

0.1, 0.2, 0.3과 같은 수를 소수라고 해요.

**2** $\frac{6}{7}$에서 분자는 ( 6 , 7 )이고, 분모는 ( 6 , 7 )입니다.

## 24 분수의 크기 비교

● 분모가 같은 분수의 크기 비교하기 ― 예 $\frac{7}{8}$과 $\frac{3}{8}$의 크기 비교

① 그림을 이용하여 비교하기

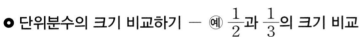

색칠한 부분을 비교하면 $\frac{7}{8}$이 $\frac{3}{8}$보다

더 큽니다. ➡ $\frac{7}{8}$ ❶◯ $\frac{3}{8}$

② $\frac{1}{\blacksquare}$이 몇 개인지 알고 비교하기

$\frac{7}{8}$은 $\frac{1}{8}$이 7개, $\frac{3}{8}$은 $\frac{1}{8}$이 3개입니다.

7>3이므로 $\frac{7}{8}$은 $\frac{3}{8}$보다 더 큽니다. ➡ $\frac{7}{8}>\frac{3}{8}$

> 분모가 같은 분수는 분자가 클수록 더 큰 분수예요.

● 단위분수의 크기 비교하기 ― 예 $\frac{1}{2}$과 $\frac{1}{3}$의 크기 비교

분수 중에서 $\frac{1}{2}$, $\frac{1}{3}$, $\frac{1}{4}$, $\frac{1}{5}$······과 같이 분자가 1인 분수를 단위분수라고 합니다.

① 그림을 이용하여 비교하기

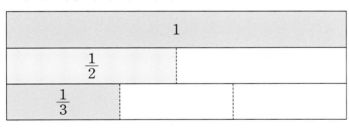

➡ $\frac{1}{2}$ ❷◯ $\frac{1}{3}$

> 단위분수는 분모가 작을수록 더 큰 분수예요.

② 수직선을 이용하여 비교하기

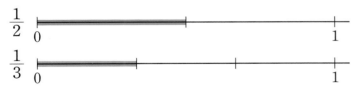

➡ $\frac{1}{2}>\frac{1}{3}$

[답] ❶ > ❷ >

## 핵심체크

1 분모가 같은 분수는 분자가 클수록 더 ( 큰 , 작은 ) 분수입니다.

2 단위분수는 분모가 작을수록 더 ( 큰 , 작은 ) 분수입니다.

## 25 소수 알아보기

**○ 1보다 작은 소수 알아보기**

$\dfrac{1}{10}$, $\dfrac{2}{10}$, $\dfrac{3}{10}$ …… $\dfrac{9}{10}$ 를 0.1, 0.2, 0.3 …… 0.9라 쓰고 영 점 일, 영 점 이, 영 점 삼 …… 영 점 구

라고 읽습니다. 0.1, 0.2, 0.3과 같은 수를 소수라 하고 '.'을 소수점이라고 합니다.

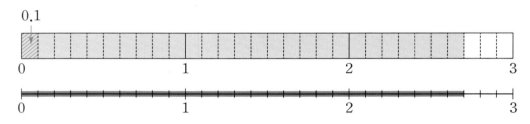

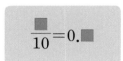

1 cm를 똑같이 10으로 나눈 것 중의 1은 $\dfrac{1}{10}$ cm이고, $\dfrac{1}{10}$ cm=❶[      ] cm입니다.

**○ 1보다 큰 소수 알아보기**

0.1

![1보다 큰 소수 수직선]

① 색칠한 부분은 0.1이 ❷[    ] 개입니다.

② 0.1이 20개이면 2이고, 0.1이 7개이면 0.7이므로 2와 0.7만큼은 2.7입니다.

⇨ 2와 0.7만큼을 2.7이라 쓰고 이 점 칠이라고 읽습니다.

[답] ❶ 0.1 ❷ 27

## 핵심 체크

**1** 0.1, 0.2, 0.3과 같은 수를 ( 분수 , 소수 )라고 합니다.

$\dfrac{1}{2}$, $\dfrac{2}{3}$와 같은 수를 분수라고 해요.

**2** 0.1이 10개이면 1이고, 0.1이 4개이면 0.4이므로 1과 0.4만큼은 ( 14 , 1.4 )입니다.

## 26 소수의 크기 비교

**● 1보다 작은 소수의 크기 비교하기** — ㉠ 0.9와 0.4의 크기 비교

① 수 막대를 이용하여 비교하기

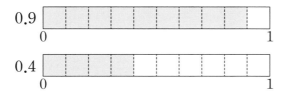

0.9

0.4

색칠한 부분을 비교해 보면
0.9가 0.4보다 더 큽니다.

⇨ 0.9 ❶◯ 0.4

② 0.1이 몇 개인지 알고 비교하기

0.9는 0.1이 9개입니다.
0.4는 0.1이 4개입니다. ⇨ 9>4이므로 0.9는 0.4보다 더 큽니다.

**● 1보다 큰 소수의 크기 비교하기**

① 소수점 왼쪽 부분의 크기를 먼저 비교합니다.
소수점 왼쪽 부분의 크기가 큰 쪽이 더 큽니다.

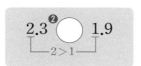

② 소수점 왼쪽 부분이 같으면 소수점 오른쪽 부분의 크기를 비교합니다.
소수점 오른쪽 부분의 크기가 큰 쪽이 더 큽니다.

[답] ❶ > ❷ > ❸ <

## 핵심체크

**1** 0.7은 0.1이 7개, 0.5는 0.1이 5개이고 7>5이므로 0.7은 0.5보다 더 ( 큽니다 , 작습니다 ).

**2** 1.9는 0.1이 19개, 2.4는 0.1이 24개이고 19<24이므로 1.9는 2.4보다 더 ( 큽니다 , 작습니다 ).

# 집중 연습

[01~10] 두 분수의 크기를 비교하여 ○ 안에 >, <를 알맞게 써넣으시오.

01 $\frac{4}{5}$ ◯ $\frac{2}{5}$

02 $\frac{3}{7}$ ◯ $\frac{6}{7}$

03 $\frac{3}{8}$ ◯ $\frac{5}{8}$

04 $\frac{7}{10}$ ◯ $\frac{3}{10}$

05 $\frac{6}{11}$ ◯ $\frac{8}{11}$

06 $\frac{1}{2}$ ◯ $\frac{1}{3}$

07 $\frac{1}{6}$ ◯ $\frac{1}{4}$

08 $\frac{1}{5}$ ◯ $\frac{1}{8}$

09 $\frac{1}{7}$ ◯ $\frac{1}{10}$

10 $\frac{1}{12}$ ◯ $\frac{1}{9}$

[11~20] 두 소수의 크기를 비교하여 ○ 안에 >, <를 알맞게 써넣으시오.

11  0.2 ◯ 0.5

12  0.6 ◯ 0.3

13  0.4 ◯ 0.7

14  0.9 ◯ 0.8

15  6.5 ◯ 7.1

16  4.7 ◯ 8.2

17  9.3 ◯ 5.7

18  2.7 ◯ 2.5

19  3.1 ◯ 3.4

20  6.9 ◯ 6.2

**2쪽**
1 같은에 ○표
2 일에 ○표, 십에 ○표, 백에 ○표

**3쪽**
1 십에 ○표
2 백에 ○표
3 천에 ○표

**4쪽**
1 같은에 ○표
2 일에 ○표, 십에 ○표, 백에 ○표

**5쪽**
1 10에 ○표
2 십에 ○표
3 백에 ○표

**6쪽**
01 698
02 776
03 673
04 884
05 371
06 922
07 1033
08 1130

**7쪽**
09 743
10 522
11 247
12 236
13 415
14 138
15 489
16 185

**8쪽**
17 476
18 978
19 1822
20 211
21 325
22 478

**9쪽**
23 >
24 <
25 <
26 >
27 <
28 >
29 <
30 >

**10쪽**
1 선분에 ○표
2 ×에 ○표
3 직선에 ○표

**11쪽**
1 각에 ○표
2 ∟에 ○표

**12쪽**
1 한에 ○표
2 직사각형에 ○표

**13쪽**
1 정사각형에 ○표
2 ○에 ○표

**14쪽**
01 선분 ㄱㄴ 또는 선분 ㄴㄱ
02 반직선 ㄷㄹ
03 직선 ㅁㅂ 또는 직선 ㅂㅁ
04 점 ㄴ
/ 변 ㄴㄱ, 변 ㄴㄷ
05 점 ㅁ
/ 변 ㅁㄹ, 변 ㅁㅂ
06 점 ㅇ
/ 변 ㅇㅅ, 변 ㅇㅈ

**15쪽**

07 각 ㄱㄴㄷ 또는 각 ㄷㄴㄱ

08 각 ㄹㅁㅂ 또는 각 ㅂㅁㄹ

09 각 ㅅㅇㅈ 또는 각 ㅈㅇㅅ

10 △

11 □

12 □

**16쪽**

1 나눗셈식에 ○표

2 6에 ○표, 3에 ○표

**17쪽**

1 10÷2＝5에 ○표

2 18÷3＝6에 ○표

**18쪽**

1 4에 ○표

2 6에 ○표

**19쪽**

1 6에 ○표

2 4에 ○표

**20쪽**

01 2, 7          05 8, 2

02 5, 4          06 9, 3

03 6, 7          07 7, 5

04 9, 4          08 8, 7

**21쪽**

09 5            13 9

10 4            14 3

11 8            15 6

12 3            16 7

**22쪽**

17 6            21 6

18 8            22 8

19 5            23 9

20 8            24 6

**23쪽**

25 >            29 >

26 <            30 <

27 >            31 >

28 >            32 <

**24쪽**

1 0에 ○표

2 일에 ○표, 십에 ○표

**25쪽**

1 일에 ○표, 백에 ○표

2 105에 ○표

**26쪽**

1 십에 ○표

2 76에 ○표

**27쪽**

1 십에 ○표, 백에 ○표

2 195에 ○표

**28쪽**

01 96           05 279

02 168          06 249

03 126          07 72

04 146          08 75

**29쪽**

09 78           13 141

10 51           14 434

11 56           15 392

12 130          16 608

**30쪽**

| | |
|---|---|
| 17 128 | 20 252 |
| 18 249 | 21 236 |
| 19 85 | 22 576 |

**31쪽**

| | |
|---|---|
| 23 > | 27 > |
| 24 < | 28 > |
| 25 > | 29 > |
| 26 < | 30 < |

**32쪽**

1 10 mm에 ◯표

2 5 cm 7 mm에 ◯표

**33쪽**

1 1000 m에 ◯표

2 4 km 800 m에 ◯표

**34쪽**

1 cm에 ◯표

2 m에 ◯표

**35쪽**

1 1초에 ◯표

2 60초에 ◯표

**36쪽**

1 1분에 ◯표

2 1시간에 ◯표

**37쪽**

1 60초에 ◯표

2 60분에 ◯표

**38쪽**

| | |
|---|---|
| 01 3 | 07 120 |
| 02 5 | 08 420 |
| 03 2, 7 | 09 320 |
| 04 6 | 10 3 |
| 05 8 | 11 6 |
| 06 9, 400 | 12 4, 30 |

**39쪽**

13 5시간 31분 25초

14 6시간 20분 50초

15 8시 51분 30초

16 9시 30분 35초

17 7시간 19분 35초

18 6시간 30분 10초

19 5시 24분 50초

20 4시 45분 35초

**40쪽**

1 분수에 ◯표

2 6에 ◯표, 7에 ◯표

**41쪽**

1 큰에 ◯표

2 큰에 ◯표

**42쪽**

1 소수에 ◯표

2 1.4에 ◯표

**43쪽**

1 큽니다에 ◯표

2 작습니다에 ◯표

**44쪽**

| | |
|---|---|
| 01 > | 06 > |
| 02 < | 07 < |
| 03 < | 08 > |
| 04 > | 09 > |
| 05 < | 10 < |

**45쪽**

| | |
|---|---|
| 11 < | 16 < |
| 12 > | 17 > |
| 13 < | 18 > |
| 14 > | 19 < |
| 15 < | 20 > |

상위권 실력 완성

# 최고수준
# 수학

| 상위권 필수 교재 | 심화 유형 집중 공략 | 다양한 부가자료 |
|---|---|---|
| 각종 경시 유형 문제와<br>완벽한 피드백 제공으로 실전에 강한<br>수학 상위권 실력 완성 | 대표 심화 유형 문제 및<br>쌍둥이 문제, 발전 문제 수록으로<br>심화 유형 집중 학습 가능 | 유명강사의 명강의를 들을 수 있는<br>문제풀이 동영상 강의 및<br>나만의 오답노트 앱 제공 |

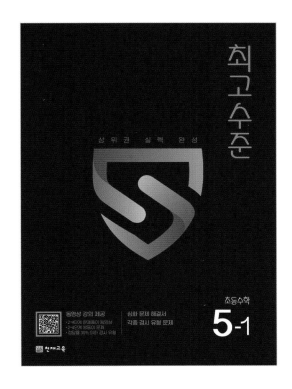

한 문제에 울고 웃는
상위권을 위한 수학교재
(초등 1~6학년 / 학기별)

핵심개념
유형연습
탄탄하게!

수학
전략

# 꿈을 위한 동행

축구 선수, 래퍼, 선생님, 요리사, …
배움을 통해 아이들은 꿈을 꿉니다.

학교에서 공부하고, 뛰어놀고 싶은 마음을
잠시 미뤄 둔 친구들이 있습니다.
어린이 병동에 입원해 있는 아이들.

이 아이들도 똑같이 공부하고
맘껏 꿈 꿀 수 있어야 합니다.
천재교육 학습봉사단은
직접 병원으로 찾아가
같이 공부하고 얘기를 나눕니다.

함께 하는 시간이
아이들이 꿈을 키우는 밑바탕이 되길 바라며
천재교육은 앞으로도
나눔을 실천하며 세상과 소통하겠습니다.

천재교육

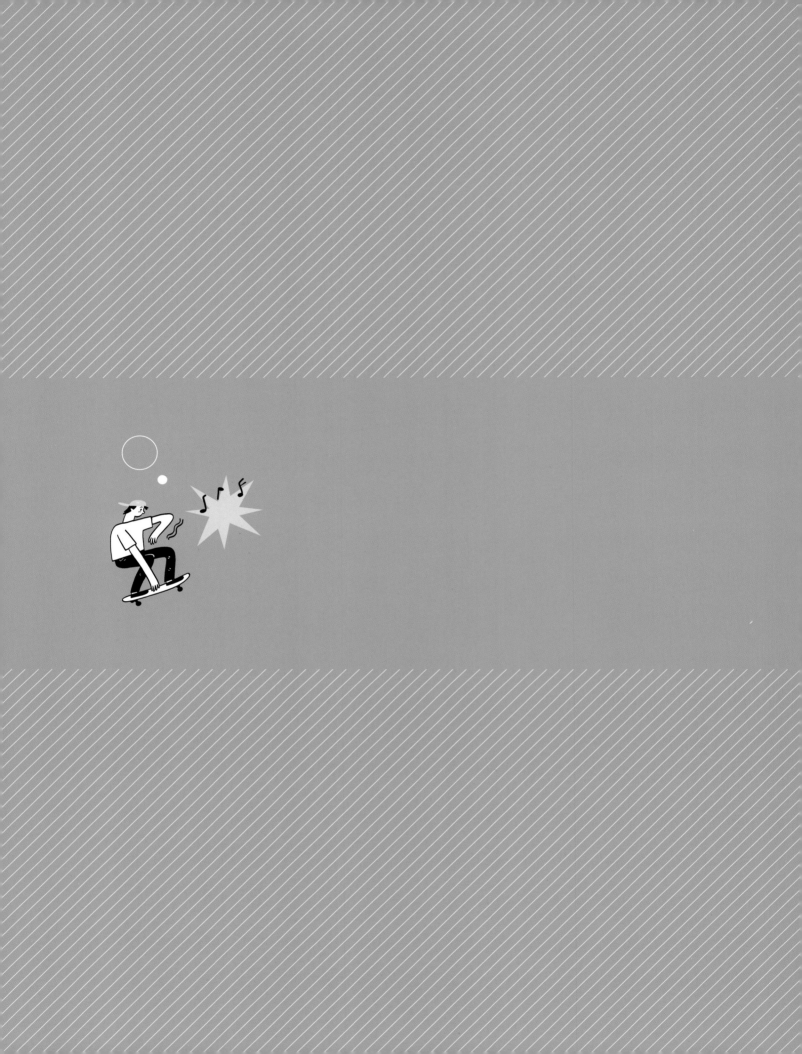

초등생의 필수 학습!
탄탄하게 다져두자!

정답 및 풀이

수학
전략

초등 **수학**

3·1

천재교육

모르는 문제는
확실하게
알고 가자!

정답 및
풀이

초등 수학 **3-1**

## 개념 돌파 전략 ① 개념 기초 확인 · 9, 11쪽

1-1 476  1-2 584

2-1 322  2-2 214

3-1 10에 ○표  3-2 100에 ○표

4-1 4, 1  4-2 2, 7

5-1 1, 9 / 1 센티미터 9 밀리미터

5-2 2, 500 / 2 킬로미터 500 미터

6-1 (1) 20, 10  (2) 47, 53

6-2 (1) 40, 21  (2) 28, 39

---

**1-2** 백 모형이 5개, 십 모형이 8개, 일 모형이 4개이므로 461+123=584입니다.

**2-2** 백 모형이 2개, 십 모형이 1개, 일 모형이 4개 남으므로 685-471=214입니다.

**3-2** □ 안의 수 1은 십의 자리 계산에서 백의 자리에 받아올림한 수이므로 실제로 100을 나타냅니다.

**4-2** 2 cm보다 7 mm 더 길므로 2 cm 7 mm입니다.

**5-2** 2 km보다 500 m 더 긴 것을 2 km 500 m라 쓰고, 2 킬로미터 500 미터라고 읽습니다.

**6-2** (1) 초바늘이 4에서 작은 눈금 1칸 더 간 곳을 가리키므로 21초를 나타냅니다.
⇨ 3시 40분 21초

(2) **9:28:39** 시 분 초 ⇨ 9시 28분 39초

---

## 개념 돌파 전략 ② · 12~13쪽

1 ( )( ○ )  2 173

3
```
  6 9 10
  7̶ 0 2
-  2 4 5
  4 5 7
```
4 예 5 / 5, 2

5 (1) 120, 2, 20  (2) 60, 70

6 (1) 9분 20초  (2) 2시간 40분

(3) 4시 30분  (4) 11분 28초

---

**1** 십의 자리 계산에서 받아올림한 수를 백의 자리 계산에서 빠뜨리지 않고 계산합니다.

```
    1
  5 9 0
+ 1 2 3
  7 1 3
```

**2**
```
  2 10
  3̶ 6 8
- 1 9 5
  1 7 3
```

**3** 백의 자리에서 십의 자리로 받아내림한 10에서 1을 일의 자리로 받아내린 것을 빠뜨리지 않고 계산합니다.

**4** 비스킷의 길이는 5 cm보다 2 mm 더 길므로 5 cm 2 mm입니다.

**5** (1) 140초=120초+20초=2분+20초
=2분 20초

(2) 1분 10초=1분+10초=60초+10초
=70초

**6** (1) 60초를 1분으로 받아올림하여 계산합니다.

(2) 1시간을 60분으로 받아내림하여 계산합니다.

(3)　　3시　25분
　＋1시간　　5분
　　4시　30분

(4)　　20분 38초
　－　　9분 10초
　　　11분 28초

## 필수 체크 전략 ❶　　14~17쪽

필수 **예제 01** 136, 457

**확인 1**-1 775

**확인 1**-2 467

필수 **예제 02** 4, 6, 2

**확인 2**-1 (위에서부터) 5, 7, 8

**확인 2**-2 (위에서부터) 2, 7, 9

필수 **예제 03** (1) 2, 10 (2) 영수

**확인 3**-1 바다 여행

**확인 3**-2 세수

필수 **예제 04** 400, 병원

**확인 4**-1 편의점

**확인 4**-2 은행

**확인 1**-1 수 모형이 나타내는 수는 백 모형이 3개, 십 모형이 1개, 일 모형이 2개이므로 312입니다.

➡ 수 모형이 나타내는 수보다 463만큼 더 큰 수는 312＋463＝775입니다.

**확인 1**-2 수 모형이 나타내는 수는 백 모형이 2개, 십 모형이 5개, 일 모형이 9개이므로 259입니다.

➡ 수 모형이 나타내는 수보다 208만큼 더 큰 수는 259＋208＝467입니다.

**확인 2**-1　　ⓒ 5 7
　　　　　　＋ 3 2 ⓐ
　　　　　　 8 ⓑ 4

・일의 자리 계산: 7＋ⓐ＝14

➡ ⓐ＝7

・십의 자리 계산: 1＋5＋2＝ⓑ

➡ ⓑ＝8

・백의 자리 계산: ⓒ＋3＝8

➡ ⓒ＝5

**확인 2**-2　　　6 5 ⓐ
　　　　　　＋ 2 ⓑ 9
　　　　　　 ⓒ 3 1

・일의 자리 계산: ⓐ＋9＝11

➡ ⓐ＝2

・십의 자리 계산: 1＋5＋ⓑ＝13

➡ ⓑ＝7

・백의 자리 계산: 1＋6＋2＝ⓒ

➡ ⓒ＝9

**확인 3**-1 200초＝180초＋20초＝3분 20초

➡ 더 긴 시간은 200초이므로 재생 시간이 더 긴 것은 바다 여행입니다.

**확인 3**-2 165초＝120초＋45초＝2분 45초

➡ 더 긴 시간은 2분 55초이므로 더 오래 한 것은 세수입니다.

**확인 4**-1 학교에서 약국까지의 거리는
2130 m＝2000 m＋130 m
＝2 km 130 m입니다.

➡ 가장 짧은 거리는 2 km 90 m이므로 학교에서 가장 가까운 곳은 편의점입니다.

**확인 4**-2 학원에서 서점까지의 거리는
2500 m＝2000 m＋500 m
＝2 km 500 m입니다.

➡ 가장 짧은 거리는 2 km 400 m이므로 학원에서 가장 가까운 곳은 은행입니다.

## 필수 체크 전략 ❷    18~19쪽

**1** 124

**2** 1204

**3** 178회

**4** (1) cm에 ◯표  (2) km에 ◯표

**5** 5분 25초

**6** 1시간 19분 30초

---

**1**   289＜413이므로 413－289＝124입니다.

**2**   삼각형 안에 있는 수: 576, 628
⇨ 576＋628＝1204

**3**   (주아의 줄넘기 횟수)＝246＋115＝361(회)
(민호의 줄넘기 횟수)＝361－183＝178(회)

**4**   (1) 휴대 전화의 짧은 쪽의 길이는 약 8 cm가
알맞습니다.
(2) 둘레길의 길이는 약 2 km가 알맞습니다.

**5**   (진아와 수경이가 훌라후프를 한 시간의 합)
＝100초＋225초＝325초
⇨ 325초＝300초＋25초＝5분 25초

**6**   (산 정상에 도착하는 데 걸린 시간)
＝(산 정상에 도착한 시각)
   －(산 입구에서 출발한 시각)
＝10시 40분 20초－9시 20분 50초
＝1시간 19분 30초

> 초끼리 뺄 수
> 없으면 1분을 60초로
> 받아내림하여
> 계산해요.

---

## 필수 체크 전략 ❶    20~23쪽

**필수 예제 01** 317

**확인 1-1** 238

**확인 1-2** 285

**필수 예제 02** ③

**확인 2-1** 23

**확인 2-2** 408

**필수 예제 03** (1) 11, 3 (2) 볼펜

**확인 3-1** ㉡

**확인 3-2** ㉠

**필수 예제 04** 2, 10, 10

**확인 4-1** 1시간 14분 50초

**확인 4-2** 2시간 50분 25초

---

**확인 1-1**   □＋271＝509이므로 509－271＝□입
니다.
⇨ 509－271＝238이므로 □＝238입
니다.

**확인 1-2**   458＋□＝743이므로 743－458＝□입
니다.
⇨ 743－458＝285이므로 □＝285입
니다.

**확인 2-1**   어떤 수를 □라 하면
□＋346＝715, 715－346＝□,
□＝369입니다.
⇨ 바르게 계산하면 369－346＝23입
니다.

**확인 2-2**   어떤 수를 □라 하면
□＋242＝892, 892－242＝□,
□＝650입니다.
⇨ 바르게 계산하면 650－242＝408입
니다.

**확인 3-1** ㉡ 64 mm＝6 cm 4 mm

⇨ 더 긴 길이는 64 mm이므로 길이가 더 긴 것은 ㉡입니다.

**확인 3-2** ㉠ 130 mm＝13 cm

⇨ 더 긴 길이는 130 mm이므로 길이가 더 긴 것은 ㉠입니다.

**확인 4-1** 청소를 시작한 시각: 4시 40분 20초

청소를 끝낸 시각: 5시 55분 10초

⇨ 청소를 한 시간:

5시 55분 10초－4시 40분 20초
＝1시간 14분 50초

**확인 4-2** 숙제를 시작한 시각: 9시 30분 5초

숙제를 끝낸 시각: 12시 20분 30초

⇨ 숙제를 한 시간:

12시 20분 30초－ 9시 30분 5초
＝2시간 50분 25초

(시각)－(시각)＝(시간)이에요.

---

**필수 체크 전략 ❷**  **24~25쪽**

**1** ＜

**2** 531, 356

**3** 901

**4**
$$\begin{array}{r} 9\text{시 }14\text{분} \\ +\quad 7\text{분 }22\text{초} \\ \hline 9\text{시 }21\text{분 }22\text{초} \end{array}$$

**5** 준아, 민경, 영규

**6** 1 km 500 m

**1** 359＋254＝613

⇨ 613＜650

**2** 356과 326의 차는 175가 될 수 없으므로 빼지는 수는 531입니다.

531－356＝175, 531－326＝205이므로 차가 175가 되는 뺄셈식은 531－356＝175입니다.

**3** 4＞3＞2이므로 가장 큰 세 자리 수는 432입니다.

⇨ 432＋469＝901

[참고]

가장 큰 세 자리 수를 만들 때에는 백의 자리부터 큰 수를 놓습니다.

**4** 시는 시끼리, 분은 분끼리, 초는 초끼리 계산합니다.

**5** 준아: 210 mm＝21 cm

영규: 23 cm보다 5 mm 더 긴 길이

⇨ 23 cm 5 mm

21 cm＜22 cm 5 mm＜23 cm 5 mm이므로 신발의 길이가 짧은 사람부터 차례대로 쓰면 준아, 민경, 영규입니다.

**6** 학교에서 빵집까지의 거리는 학교에서 놀이터까지의 거리의 3배쯤 되므로 약 1500 m이고, 1500 m＝1 km 500 m입니다.

## 교과서 대표 전략 ❶   26~29쪽

대표 **예제 01** 1, 100

대표 **예제 02** 1108개

대표 **예제 03** 273

대표 **예제 04** 205 cm

대표 **예제 05** 547

대표 **예제 06** 165

대표 **예제 07** 404

대표 **예제 08** ㉮ 길

대표 **예제 09** (　　　)(　○　)

대표 **예제 10** ㉢

대표 **예제 11** 3, 4

대표 **예제 12** 9시 55분

대표 **예제 13** 7 km 600 m

대표 **예제 14** ㉢, ㉡, ㉠

대표 **예제 15** 4시 44분 47초

대표 **예제 16** 2 km 900 m

대표 **예제 01**

$$\begin{array}{r} \boxed{1}\ 1 \\ 2\ 6\ 9 \\ +\ 1\ 4\ 2 \\ \hline 4\ 1\ 1 \end{array}$$

⇨ □ 안의 수 1은 십의 자리 계산에서 백의 자리에 받아올림한 수이므로 실제로 100을 나타냅니다.

대표 **예제 02** (오전에 수확한 귤의 수)
　　　　　+(오후에 수확한 귤의 수)
　　　　　=576+532=1108(개)

대표 **예제 03** 가장 큰 수: 586,
　　　　　가장 작은 수: 313
　　　　　⇨ 586-313=273

대표 **예제 04** 4 m=400 cm
　　　　　⇨ 400-195=205 (cm)

대표 **예제 05** □-102=445, 445+102=□,
　　　　　□=547

대표 **예제 06** 두 수의 합이 543이므로 찢어진 종이에 적힌 세 자리 수는
　　　　　543-378=165입니다.

대표 **예제 07** 100이 6개이면 600, 10이 2개이면 20, 1이 3개이면 3이므로 623입니다.
　　　　　⇨ 623-219=404

대표 **예제 08** ㉮ 길: 489+356=845 (m)
　　　　　⇨ 845<850이므로 ㉮ 길로 가는 것이 더 짧습니다.

대표 **예제 09** 왼쪽 시계는 초바늘이 10을 가리키므로 50초를 나타냅니다.
　　　　　⇨ 11시 14분 50초

대표 **예제 10** 길이가 1 cm보다 짧은 것은 ㉢ 연필심의 길이입니다.

대표 **예제 11** 젤리의 길이는 1 cm가 3번인 길이보다 4 mm 더 길므로 3 cm 4 mm입니다.

대표 **예제 12** (수영을 끝낸 시각)
　　　　　=(수영을 시작한 시각)
　　　　　　+(수영을 한 시간)
　　　　　=8시 25분+1시간 30분
　　　　　=9시 55분

대표 **예제 13** 수직선의 작은 눈금 한 칸은 100 m입니다. 화살표가 가리키는 곳은 7 km에서 600 m 더 간 곳이므로 7 km 600 m입니다.

대표 **예제 14** ㉡ 2분 50초＝120초＋50초
＝170초

⇨ 190초＞170초＞160초이므로
시간이 긴 것부터 차례대로 기호
를 쓰면 ㉢, ㉡, ㉠입니다.

대표 **예제 15** 시계가 나타내는 시각은 6시 25분
7초입니다.

⇨ 6시 25분 7초－1시간 40분 20초
＝4시 44분 47초

대표 **예제 16** 1300 m＝1 km 300 m

⇨ (학교~서점)＋(서점~지하철역)
＝1 km 600 m＋1 km 300 m
＝2 km 900 m

---

**교과서 대표 전략 ❷** | **30~31쪽**

| | |
|---|---|
| **1** 843 | **2** 523 cm |
| **3** 207 | **4** 187명 |
| **5** 영민 | **6** (위에서부터) 40, 10 |
| **7** 23 cm 6 mm | |
| **8** 12시간 54분 50초, 11시간 5분 10초 | |

**1** 441＋402＝□, □＝843

**2** 687－164＝523 (cm)

**3** □＋316＝524, 524－316＝□, □＝208
이므로 □＋316＜524가 되려면 □ 안에는
208보다 작은 수가 들어가야 합니다.
따라서 208보다 작은 세 자리 수 중 가장 큰
수는 207입니다.

---

**4** (행복 초등학교의 학생 수)＝321＋286
＝607(명)
(빛나 초등학교의 학생 수)＝183＋237
＝420(명)

⇨ 행복 초등학교는 빛나 초등학교보다 학생
수가 607－420＝187(명) 더 많습니다.

**5** 영민: 물 한 모금을 마시는 시간은 5초입니다.

**6**
```
    5분 32초
+   4분 ㉠초
─────────
    ㉡분 12초
```
• 32＋㉠＝72 ⇨ 72－32＝㉠, ㉠＝40
• 1＋5＋4＝㉡ ⇨ ㉡＝10

**7** (남은 색 테이프의 길이)＝356－120
＝236 (mm)

⇨ 236 mm＝23 cm 6 mm

**8** 오후 7시 15분 40초＝19시 15분 40초
(낮의 길이)＝19시 15분 40초
－6시 20분 50초
＝12시간 54분 50초
(밤의 길이)＝24시간－12시간 54분 50초
＝11시간 5분 10초

(하루)＝(낮 시간)＋(밤 시간)
이에요.

## 누구나 만점 전략  `32~33쪽`

**01** (1) (위에서부터) 1, 1, 5, 5, 2
    (2) (위에서부터) 5, 11, 10, 1, 8, 4

**02** 496      **03** 252

**04**       **05** 1113 m

         **06** 5, 3, 53

**07** 1, 600 / 1 킬로미터 600 미터

**08** ㉡      **09** 1시간 14분 49초

**10**

---

**02** $235+261=496$

**03** $384-132=252$

**04** $531+194=725$, $972-244=728$

**05** (오늘 달린 거리)$=498+117=615$ (m)
  ⇨ (어제와 오늘 달린 거리)
    $=$(어제 달린 거리)$+$(오늘 달린 거리)
    $=498+615=1113$ (m)

**06** 5 cm보다 3 mm 더 길므로 5 cm 3 mm입니다.
  ⇨ 5 cm 3 mm$=53$ mm

**07** 1 km보다 600 m 더 긴 거리이므로 1 km 600 m라 쓰고, 1 킬로미터 600 미터라고 읽습니다.

**08** ㉡ 210초$=180$초$+30$초$=3$분 30초

**09** 시계가 나타내는 시각: 4시 45분 11초
  ⇨ 6시$-4$시 45분 11초$=1$시간 14분 49초이므로 1시간 14분 49초가 지나야 6시가 됩니다.

**10** (만화 영화가 끝난 시각)
  $=$(만화 영화가 시작한 시각)$+$(본 시간)
  $=9$시 50분 18초$+30$분 47초
  $=10$시 21분 5초
  ⇨ 시계에 10시 21분 5초를 나타냅니다.

## 창의·융합·코딩 전략 ❶  `34~35쪽`

**1** 102개

**2** 1 cm 3 mm

**1** $234-132=102$(개)

**2** 20 cm 8 mm$-19$ cm 5 mm
  $=1$ cm 3 mm

## 창의·융합·코딩 전략 ❷  `36~39쪽`

**1** (화살표 방향으로) 506, 378, 156

**2** 1, 15 / 3, 1 / 7, 10, 18

**3** 882

**4** 7시 15분 10초, 10시 45분 50초

**5** 1시간 30분 10초

**6**

**7** 248, 289

**8**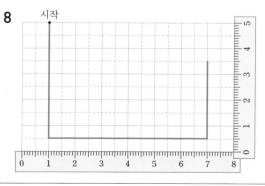

**1** 341＋165＝506, 506－128＝378,
378－222＝156

**2** (자동차를 타고 달린 시간)
＝11시 48분－10시 33분＝1시간 15분
지렁이의 길이는 3 cm보다 1 mm 더 길므로
3 cm 1 mm입니다.
시계의 초바늘이 3에서 작은 눈금 3칸 더 간
곳을 가리키므로 저녁 식사를 한 시각은 7시
10분 18초입니다.

**3** 꼭짓점의 수는 각각 삼각형 3개, 사각형 4개,
오각형 5개, 육각형 6개입니다.

| | 백의 자리 숫자 | 십의 자리 숫자 | 일의 자리 숫자 |
|---|---|---|---|
| ㉠ | 3 | 4 | 6 |
| ㉡ | 5 | 3 | 6 |

따라서 ㉠＋㉡＝346＋536＝882입니다.

**4** 시계가 나타내는 시각: 9시 25분 35초

```
    9시  25분 35초          9시  25분 35초
 － 2시간 10분 25초       ＋ 1시간 20분 15초
    7시  15분 10초         10시  45분 50초
```

**참고**
■시간 ▲분 ●초 전
＝(처음 시각)－■시간 ▲분 ●초
■시간 ▲분 ●초 후
＝(처음 시각)＋■시간 ▲분 ●초

**5** 1시간 35분 20초＋20분 10초
＝1시간 55분 30초
⇨ 2시간이 넘지 않으므로 되돌아가서
20분 10초를 더합니다.
1시간 55분 30초＋20분 10초
＝2시간 15분 40초
⇨ 2시간이 넘으므로 45분 30초를 뺍니다.

2시간 15분 40초－45분 30초
＝1시간 30분 10초

**6** • 딱총새우: 854－323＝531
• 곰치: 153＋349＝502
• 흰동가리: 284＋275＝559
• 망둥이: 747－216＝531
• 말미잘: 363＋196＝559
• 청소놀래기: 927－425＝502

**7** ㉠이 공통이므로 452＝163＋㉡입니다.
⇨ 452－163＝㉡, ㉡＝289
㉡이 공통이므로 ㉠＋163＝411입니다.
⇨ ㉠＝411－163, ㉠＝248

**8** 점이 아래쪽으로 3분 동안 움직이는 거리:
1 cm 5 mm＋1 cm 5 mm＋1 cm 5 mm
＝4 cm 5 mm
점이 오른쪽으로 4분 동안 움직이는 거리:
1 cm 5 mm＋1 cm 5 mm＋1 cm 5 mm
＋1 cm 5 mm＝6 cm
점이 위쪽으로 2분 동안 움직이는 거리:
1 cm 5 mm＋1 cm 5 mm＝3 cm

창의 · 융합 · 코딩 전략으로
스스로 해결하는 힘을 키워 보세요.

## 정답 및 풀이

**개념 돌파 전략 ❶** 개념 기초 확인 **43, 45쪽**

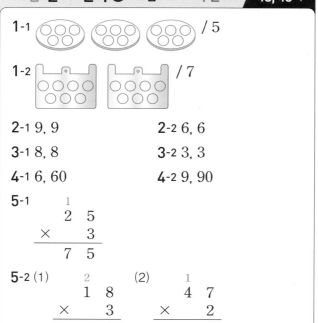

**1-2** 감자 14개를 봉지 2개에 똑같이 나누어 담으면 봉지 1개에 감자를 7개씩 담을 수 있습니다.

**2-2** $5 \times 6 = 30$   $5 \times 6 = 30$
$30 \div 5 = 6$   $30 \div 6 = 5$

**3-2** $27 \div 9$의 몫은 곱셈식 $9 \times 3 = 27$을 이용하여 구할 수 있습니다.

**4-2** 십 모형이 3개씩 3묶음이므로 십 모형은 9개입니다.
따라서 $30 \times 3 = 90$입니다.

**5-2** (1) $8 \times 3 = 24$에서 십의 자리 숫자 2를 올림하여 십의 자리 위에 작게 적어 계산합니다.
(2) $7 \times 2 = 14$에서 십의 자리 숫자 1을 올림하여 십의 자리 위에 작게 적어 계산합니다.

**6-2**

$$
\begin{array}{r}
\overset{1}{\phantom{0}}3\ 2 \\
\times\quad 8 \\
\hline
2\ 5\ 6
\end{array}
\qquad
\begin{array}{r}
7\ 2 \\
\times\quad 4 \\
\hline
2\ 8\ 8
\end{array}
$$

**개념 돌파 전략 ❷** **46~47쪽**

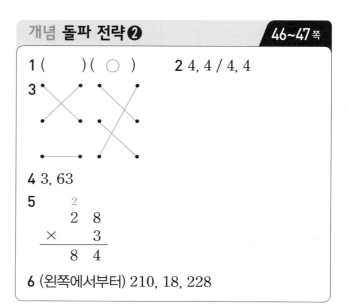

**6** (왼쪽에서부터) 210, 18, 228

**1** • $40 \div 8 = 5$에서 8은 나누는 수입니다.
   • $24 \div 3 = 8$에서 8은 몫입니다.

**2** 16에서 4씩 4번 빼면 0이 됩니다.
$16 - 4 - 4 - 4 - 4 = 0 \Rightarrow 16 \div 4 = 4$
(4번)

**3** • $10 \div 2 = \boxed{5}$   $2 \times \boxed{5} = 10$
   • $32 \div 8 = \boxed{4}$   $8 \times \boxed{4} = 32$
   • $42 \div 6 = \boxed{7}$   $\boxed{7} \times 6 = 42$

**4** 귤이 한 상자에 21개씩 3상자이므로 귤은 모두 $21 \times 3 = 63$(개)입니다.

**5** 일의 자리 계산에서 십의 자리로 올림한 수를 십의 자리 위에 작게 적어 십의 자리 계산에 더합니다.

$$
\begin{array}{r}
{}^{2}\ \\
2\ 8 \\
\times\quad\ 3 \\
\hline
8\ 4
\end{array}
$$

**6** 76을 70+6으로 생각하여 십의 자리와 일의 자리로 나누어 곱한 후 두 곱을 더합니다.

---

**필수 체크 전략①** 48~51쪽

**필수 예제 01**

(예) / 7, 7

**확인 1-1** (예) / 3, 3

**확인 1-2** (예) / 4, 4

**필수 예제 02** ③

**확인 2-1** 42

**확인 2-2** 45

**필수 예제 03** (1) 60, 60, 80 (2) ㉠, ㉡

**확인 3-1** ㉡, ㉢

**확인 3-2** ㉠, ㉡

**필수 예제 04** ④

**확인 4-1** 9

**확인 4-2** 7

---

**확인 1-1** 야구공 27개를 9개씩 묶으면 3묶음입니다.
⇨ 나눗셈식으로 구하면
27÷9=3(묶음)입니다.

**확인 1-2** 연필 24자루를 6자루씩 묶으면 4묶음입니다.
⇨ 나눗셈식으로 구하면
24÷6=4(묶음)입니다.

**확인 2-1** 어떤 수를 □라 하면 □÷7=6입니다.
⇨ □÷7=6에서 7×6=□이므로
□=42입니다.

**확인 2-2** 어떤 수를 □라 하면 □÷9=5입니다.
⇨ □÷9=5에서 9×5=□이므로
□=45입니다.

**확인 3-1** ㉠ 30×3=90  ㉡ 20×4=80
㉢ 10×8=80
따라서 계산 결과가 같은 것은 ㉡, ㉢입니다.

**확인 3-2** ㉠ 20×2=40  ㉡ 10×4=40
㉢ 40×2=80
따라서 계산 결과가 같은 것은 ㉠, ㉡입니다.

**확인 4-1** 6×□의 결과 중에서 일의 자리 수가 4인 곱셈식: 6×4=24, 6×9=54
• □=4일 때: 16×4=64
• □=9일 때: 16×9=144
따라서 □ 안에 알맞은 수는 9입니다.

**확인 4-2** 4×□의 결과 중에서 일의 자리 수가 8인 곱셈식: 4×2=8, 4×7=28
• □=2일 때: 54×2=108
• □=7일 때: 54×7=378
따라서 □ 안에 알맞은 수는 7입니다.

**1** ( 　　 ) ( ○ ) ( 　　 )

**2** $32-8-8-8-8=0$ / $32\div8=4$ / 4개

**3** $28\div7=4$ 또는 $28\div4=7$ /
　$7\times4=28$, $4\times7=28$

**4** 20

**5** >

**6** 밤

---

**1**　$15\div5=\boxed{3}$　　$5\times\boxed{3}=15$

**2**　$32-8-8-8-8=0 \Rightarrow 32\div8=4$
　　　　　＿＿＿＿
　　　　　4번
　　따라서 바구니는 4개 필요합니다.

**3**　세 수를 이용하여 만들 수 있는 나눗셈식은
　　$28\div7=4$ 또는 $28\div4=7$입니다.
　　$28\div7=4$를 곱셈식으로 바꾸면
　　$7\times4=28$, $4\times7=28$입니다.

**4**　□ 안의 수 2는 일의 자리 계산 $9\times3=27$에
　　서 십의 자리 숫자 2를 올림하여 작게 쓴 것
　　이므로 실제로 20을 나타냅니다.

**5**　$71\times8=568$
　　$\Rightarrow 568>560$

**6**　땅콩 수는 14개이므로 땅콩 수의 2배는
　　$14\times2=28$(개)입니다.
　　따라서 수가 땅콩 수의 2배인 견과류는 밤입
　　니다.

---

**필수 예제 01** 4, 4, 4

**확인 1-1** 6병

**확인 1-2** 3개

**필수 예제 02** (1) 12　(2) 12, 4

**확인 2-1** 9명

**확인 2-2** 6명

**필수 예제 03** 4, 44

**확인 3-1** 39살

**확인 3-2** 28살

**필수 예제 04** ②

**확인 4-1** 132

**확인 4-2** 434

---

**확인 1-1** [나눗셈식] $12\div2=\boxed{\phantom{0}}$
　　　　　[곱셈식] $2\times\boxed{6}=12$
　　　　　[몫] $\boxed{6}$
　　　　　$\Rightarrow$ 상자 한 개에 6병씩 담으면 됩니다.

**확인 1-2** [나눗셈식] $21\div7=\boxed{\phantom{0}}$
　　　　　[곱셈식] $7\times\boxed{3}=21$
　　　　　[몫] $\boxed{3}$
　　　　　$\Rightarrow$ 봉지 한 개에 3개씩 담으면 됩니다.

**확인 2-1** (전체 초콜릿 수)
　　　　　$=3\times6=18$(개)
　　　　　(나누어 줄 수 있는 사람 수)
　　　　　$=18\div2=9$(명)

**확인 2-2** (전체 머리핀 수)
　　　　　$=9\times4=36$(개)
　　　　　(나누어 줄 수 있는 사람 수)
　　　　　$=36\div6=6$(명)

---

**확인 3-1** 미주 삼촌의 나이는
(미주의 나이)×3입니다.
따라서 $13×3=39$이므로 미주 삼촌의
나이는 39살입니다.

**확인 3-2** 연우 이모의 나이는
(연우의 나이)×2입니다.
따라서 $14×2=28$이므로 연우 이모의
나이는 28살입니다.

**확인 4-1** 어떤 수를 □라 하면 □$+4=37$,
$37-4=$□, □$=33$입니다.
따라서 바르게 계산하면 $33×4=132$
입니다.

**확인 4-2** 어떤 수를 □라 하면 □$+7=69$,
$69-7=$□, □$=62$입니다.
따라서 바르게 계산하면 $62×7=434$
입니다.

식을 만드는
연습을 해야 해요.

| | |
|---|---|
| **1** 8 | **2** $<$ |
| **3** 소영 | **4** 4, 48 |
| **5** 80 | **6** 4, 5, 6 / 270 |

**1**　$24÷3=\boxed{8}$　　$3×\boxed{8}=24$

**2**　$64÷8=\boxed{8}$　　$8×\boxed{8}=64$

　　$63÷7=\boxed{9}$　　$7×\boxed{9}=63$

⇨ $8<9$

**3**　• 진성: 구슬 16개를 3명에게 1개씩 차례대
　　　로 나누어 주면 한 명이 5개씩 가지
　　　고 1개가 남습니다.
　　• 경희: 사탕 25개를 6명에게 1개씩 차례대
　　　로 나누어 주면 한 명이 4개씩 가지
　　　고 1개가 남습니다.
　　• 소영: 쿠키 36개를 4명에게 1개씩 차례대
　　　로 나누어 주면 한 명이 9개씩 가지
　　　고 남는 것이 없습니다.
　　따라서 남김없이 똑같이 나누어 가질 수 있는
　　경우를 말한 사람은 소영입니다.

**4**　연필이 12자루씩 4묶음이므로 연필은 모두
　　$12×4=48$(자루)입니다.

**5**　$20>5>4$이므로 가장 큰 수는 20, 가장 작
　　은 수는 4입니다.
　　⇨ $20×4=80$

**6**　$4<5<6$이므로 가장 작은 두 자리 수는 45,
　　나머지 수는 6입니다.
　　따라서 (가장 작은 두 자리 수)×(나머지 수)
　　의 곱셈식을 만들고 계산하면
　　$45×6=270$입니다.

**교과서 대표 전략 ❶**  60~63쪽

대표 **예제 01** $72 \div 9 = 8$

대표 **예제 02** (왼쪽에서부터) 12, 2, 6

대표 **예제 03** 6 / $48 \div 8 = 6$

대표 **예제 04** $30 \div 6 = 5$ / 5일

대표 **예제 05** ㉡

대표 **예제 06** 8, 6

대표 **예제 07** 1, 2, 3, 4에 ○표

대표 **예제 08** 9

대표 **예제 09** (위에서부터) 186, 180, 6

대표 **예제 10** 3, 90

대표 **예제 11** (1) (　　　)
　　　　　　　(2) ( × )

대표 **예제 12** $17 \times 4 = 68$ / 68쪽

대표 **예제 13** 26

대표 **예제 14** 156 cm

대표 **예제 15** 5

대표 **예제 16** 24명

대표 **예제 01** $\underset{72}{\underline{72}}$ 나누기 $\underset{9}{\underline{9}}$는 $\underset{=8}{\underline{8과 \ 같습니다.}}$

대표 **예제 03** 고구마 48개를 한 상자에 8개씩 담
으면 6상자에 담을 수 있습니다.
⇨ 나눗셈식으로 나타내면
$48 \div 8 = 6$입니다.

대표 **예제 04** (전체 달걀 수)÷(하루에 먹는 달걀
수)$= 30 \div 6 = 5$(일)

대표 **예제 05** $42 \div 6 = 7$
　㉠ $54 \div 9 = 6$
　㉡ $49 \div 7 = 7$

대표 **예제 06** • 밤 24개를 접시 3개에 똑같이 나
누면 한 접시에 8개씩입니다.
⇨ $24 \div 3 = 8$(개)
• 밤 24개를 접시 4개에 똑같이 나
누면 한 접시에 6개씩입니다.
⇨ $24 \div 4 = 6$(개)

대표 **예제 07** $35 \div 7 = 5$이므로 $5 > \square$입니다.
따라서 $\square$ 안에 들어갈 수 있는 수는
1, 2, 3, 4입니다.

대표 **예제 08** $5 > 4 > 2$이므로 가장 큰 두 자리 수
는 54입니다.
⇨ $54 \div 6 = 9$

대표 **예제 12**
$$\begin{array}{r} \overset{2}{\phantom{0}}\phantom{0} \\ 1 \ 7 \\ \times \quad 4 \\ \hline 6 \ 8 \end{array}$$

대표 **예제 13** 10이 1개이면 10, 1이 3개이면 3이
므로 13입니다.
⇨ $13 \times 2 = 26$

대표 **예제 14** (삼각형의 세 변의 길이의 합)
$=$(한 변의 길이)$\times 3$
$= 52 \times 3 = 156$ (cm)

대표 **예제 15** • $40 \times ㉠ = 80$
⇨ $40 \times 2 = 80 ⇨ ㉠ = 2$
• $10 \times ㉡ = 70$
⇨ $10 \times 7 = 70 ⇨ ㉡ = 7$
따라서 $㉡ - ㉠ = 7 - 2 = 5$입니다.

대표 **예제 16** (버스에 탄 학생 수)
$= 38 \times 2 = 76$(명)
(버스에 타지 못한 학생 수)
$= 100 - 76 = 24$(명)

## 교과서 대표 전략 ❷ **64~65쪽**

| | |
|---|---|
| **1** ㉠, ㉢ | **2** 2, 6 |
| **3** 2개 | **4** 8그루 |
| **5** 88 | **6** 252개 |
| **7** 2, 3에 ○표 | **8** 92 cm |

**1** ㉠ $18 \div 2 = \boxed{9}$　$2 \times \boxed{9} = 18$

㉡ $12 \div 2 = \boxed{6}$　$2 \times \boxed{6} = 12$

㉢ $18 \div 9 = \boxed{2}$　$\boxed{2} \times 9 = 18$

**2** 4단 곱셈구구에서 십의 자리 숫자가 3인 곱을 모두 찾으면 $4 \times 8 = 32$, $4 \times 9 = 36$입니다.
따라서 □ 안에 들어갈 수 있는 수는 2, 6입니다.

**3** (한 봉지에 들어 있는 젤리 수)
$= 28 \div 7 = 4$(개)
(하루에 먹어야 하는 젤리 수) $= 4 \div 2 = 2$(개)

**4** (나무와 나무 사이의 간격 수)
$= 42 \div 6 = 7$(군데)
(필요한 나무 수) $= 7 + 1 = 8$(그루)

**5** $11 \times 8 = 88$

**6** (한 상자에 들어 있는 초콜릿 수)
$= 9 \times 4 = 36$(개)
(7상자에 들어 있는 초콜릿 수)
$= 36 \times 7 = 252$(개)

**7** $92 \times 2 = 184$, $92 \times 3 = 276$, $92 \times 4 = 368$
……이므로 계산 결과가 368보다 작은 경우는 $92 \times 2 = 184$, $92 \times 3 = 276$입니다.
따라서 □ 안에 들어갈 수 있는 수는 2, 3입니다.

**8** (색 테이프 4장의 길이의 합)
$= 29 \times 4 = 116$ (cm)
(겹쳐진 부분의 길이의 합)
$= 8 \times 3 = 24$ (cm)
⇨ (이어 붙인 전체 색 테이프의 길이)
$= 116 - 24 = 92$ (cm)

## 누구나 만점 전략 **66~67쪽**

| | |
|---|---|
| **01** 4 | **02** ㉡ |
| **03** 재영 | **04** 4 |
| **05** 9모둠 | **06** (1) 204　(2) 96 |
| **07** 88 | **08** ㉡, ㉢, ㉠ |
| **09** $15 \times 6 = 90$ / 90 cm | |
| **10** (위에서부터) 7, 5 | |

**01** 딸기 20개를 5개씩 묶으면 4묶음이 됩니다.
⇨ $20 \div 5 = 4$이므로 딸기 20개를 5개씩 나누어 주면 4명에게 줄 수 있습니다.

**02** ㉡ 3은 27을 9로 나눈 몫입니다.

**03** 민희: $56 \div 8 = 7$
재영: $45 \div 5 = 9$
⇨ 몫이 9인 나눗셈식을 말한 사람은 재영입니다.

**04** $36 \div \square = 9$
⇨ $9 \times \square = 36$, $9 \times 4 = 36$이므로
$\square = 4$입니다.

# 정답 및 풀이

**05** (전체 학생 수)=15+12=27(명)
⇨ (모둠 수)=27÷3=9(모둠)

**06** 올림에 주의하여 계산합니다.

**07** 22×4=88

**08** ㉠ 49×5=245
ⓒ 67×4=268
ⓒ 88×3=264
⇨ 268>264>245이므로 ⓒ, ⓒ, ㉠입니다.

**09** 1시간은 60분이고 60분은 10분의 6배입니다.
(1시간 동안 기어간 거리)
=(10분 동안 기어간 거리)×6
=15×6=90 (cm)

**10**
$$\begin{array}{r} ⓒ\ 3 \\ \times\quad ㉠ \\ \hline 3\ 6\ 5 \end{array}$$

• 3×㉠의 일의 자리 수가 5이므로
3×5=15에서 ㉠=5입니다.
• ⓒ×5=36−1, ⓒ×5=35이고
7×5=35이므로 ⓒ=7입니다.

---

창의·융합·코딩 **전략❶**  68~69쪽

1 3개
2 112장

1 24÷8=3(개)

2 28×4=112(장)

---

창의·융합·코딩 **전략❷**  70~73쪽

**1** 7

**2**

**3** 10, 20, 60

**4**

| ①1 | ②1 | 2 |  |  |
|---|---|---|---|---|
|  | 3 |  |  |  |
| ③2 | 6 | ④5 |  | ⑥1 |
|  |  | 3 |  | 2 |
|  |  | ⑤2 | 8 | 8 |

**5** ⃝81⃝

**6** 출구3

**7** 46개

**8** (1) 9  (2) 441

**1** 8÷2=4이고 4는 5보다 작으므로 10을 더하면 4+10=14입니다.
⇨ 14÷2=7이고, 7은 5보다 크므로 끝에 나오는 수는 7입니다.

**2** • 세영: 15>3이므로 15÷3=5입니다.
⇨ 5칸만큼 이동합니다.
• 민아: 35>5이므로 35÷5=7입니다.
⇨ 7칸만큼 이동합니다.
• 준수: 32>4이므로 32÷4=8입니다.
⇨ 8칸만큼 이동합니다.

**3** (버섯 수)=10×2=20(개)
(고추 수)=20×3=60(개)

**4**

| 가로 힌트 | 세로 힌트 |
|---|---|
| (→) | (↓) |
| ① $28 \times 4 = 112$ | ② $68 \times 2 = 136$ |
| ③ $53 \times 5 = 265$ | ④ $76 \times 7 = 532$ |
| ⑤ $36 \times 8 = 288$ | ⑥ $32 \times 4 = 128$ |

**5** 모양을 보면 ◯, △가 반복되는 규칙이므로
△ 다음에 그릴 모양은 ◯입니다.
수를 보면 $1 \times 3 = 3$, $3 \times 3 = 9$, $9 \times 3 = 27$
에서 3배로 늘어나는 규칙이므로 27 다음에
써넣을 수는 $27 \times 3 = 81$입니다.

**6**
$24 \div 3 = 8$ $\begin{cases} 3 \times 8 = 24 \\ 8 \times 3 = 24 \end{cases}$

$18 \div 2 = 9$ $\begin{cases} 2 \times 9 = 18 \\ 9 \times 2 = 18 \end{cases}$

**7** 사각형을 1개 만들 때 사용한 성냥개비는
4개이고 사각형이 1개씩 늘어날 때마다 성냥
개비를 3개씩 더 사용합니다.
$3 \times 14 = 14 \times 3 = 42$(개)이므로 사각형을
15개 만들었을 때 사용한 성냥개비는
$4 + 42 = 46$(개)입니다.

**8** (1) 파란색 상자에서 $12 \div 6 = 2$이므로 큰 수
를 작은 수로 나누는 규칙입니다.
⇨ $63 \div 7 = 9$

(2) 빨간색 상자에서 $12 \times 6 = 72$이므로 두
수를 곱하는 규칙입니다.
⇨ $63 \times 7 = 441$

---

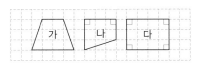

**개념 돌파 전략 ❶** 개념 기초 확인 ── **77, 79쪽**

| | |
|---|---|
| 1-1 ( ◯ ) ( ) | 1-2 ( ) ( ◯ ) |
| 2-1 ㉠ | 2-2 진규 |
| 3-1 나 | 3-2 다 |
| 4-1 2, $\dfrac{2}{4}$ | 4-2 3, $\dfrac{3}{5}$ |

5-1

5-2

6-1 (1) $<$　(2) $>$

6-2 (1) $>$　(2) $<$

**1-2** 반직선 ㄷㄹ은 점 ㄷ에서 시작하여 점 ㄹ을
지나는 반직선입니다.

ㄷ ── ㄹ　⇨ 반직선 ㄹㄷ
ㄷ ── ㄹ　⇨ 반직선 ㄷㄹ

**2-2** 각을 읽을 때에는 각의 꼭짓점이 가운데에 오
도록 읽어야 하므로 각 ㅁㅂㅅ 또는 각 ㅅㅂㅁ
이라고 읽습니다.

**3-2** 직각을 찾아 표시하면 다음과 같습니다.

| 가 | 나 | 다 |
|---|---|---|

직사각형은 네 각이 모두 직각인 사각형이므
로 다입니다.

**4-2** $\dfrac{(\text{부분의 수})}{(\text{전체를 똑같이 나눈 수})} = \dfrac{3}{5}$

**5-2** $\frac{4}{10}$ 는 소수로 0.4라 쓰고 영 점 사라고 읽습니다.

$\frac{9}{10}$ 는 소수로 0.9라 쓰고 영 점 구라고 읽습니다.

**6-2** (1) 분모가 같으므로 분자의 크기를 비교합니다.

5>4이므로 $\frac{5}{6} > \frac{4}{6}$ 입니다.

(2) 소수점 왼쪽 부분이 같으므로 소수점 오른쪽 부분의 크기를 비교합니다.
6<7이므로 0.6<0.7입니다.

---

**개념 돌파 전략 ②** | 80~81 쪽

**1**

**2** / 직각삼각형

**3**

**4** (1) $\frac{1}{2}$, $\frac{1}{2}$  (2) $\frac{4}{6}$, $\frac{2}{6}$

**5** 예 / >

**6** 5.4

---

**1** 선분: 두 점을 곧게 이은 선
반직선: 한 점에서 시작하여 한쪽으로 끝없이 늘인 곧은 선
직선: 선분을 양쪽으로 끝없이 늘인 곧은 선

**2** 한 각이 직각인 삼각형을 직각삼각형이라고 합니다.

**3** 네 각이 모두 직각이고 모든 변의 길이가 모눈 4칸인 사각형을 그립니다.

**4** (1) 색칠한 부분: 전체를 똑같이 2로 나눈 것 중의 1이므로 $\frac{1}{2}$ 입니다.
색칠하지 않은 부분: 전체를 똑같이 2로 나눈 것 중의 1이므로 $\frac{1}{2}$ 입니다.

(2) 색칠한 부분: 전체를 똑같이 6으로 나눈 것 중의 4이므로 $\frac{4}{6}$ 입니다.
색칠하지 않은 부분: 전체를 똑같이 6으로 나눈 것 중의 2이므로 $\frac{2}{6}$ 입니다.

**5** 색칠한 부분을 비교하면 $\frac{1}{5}$ 이 $\frac{1}{8}$ 보다 더 넓습니다. ⇨ $\frac{1}{5} > \frac{1}{8}$

**6** 4 mm=0.4 cm이므로
5 cm 4 mm=5.4 cm입니다.

1 mm=0.1 cm임을 이용해요.

**필수 체크 전략 ❶**

**필수 예제 01** 나, 라 / 다, 마

**확인 1-1** 가, 라 / 나, 마

**확인 1-2** 나, 라 / 가, 다

**필수 예제 02** ④

**확인 2-1** 5개

**확인 2-2** 5개

**필수 예제 03** 다, 라

**확인 3-1** 가, 다

**확인 3-2** 나, 다

**필수 예제 04** ④

**확인 4-1** 0.1 m

**확인 4-2** 0.2 m

**확인 1-1** • 선분은 두 점을 곧게 이은 선이므로
가, 라입니다.

• 반직선은 한 점에서 시작하여 한쪽으로 끝없이 늘인 곧은 선이므로 나, 마입니다.

[참고]
다는 직선입니다.

**확인 1-2** • 선분은 두 점을 곧게 이은 선이므로
나, 라입니다.

• 반직선은 한 점에서 시작하여 한쪽으로 끝없이 늘인 곧은 선이므로 가, 다입니다.

[참고]
마는 직선입니다.

**확인 2-1** 가와 나 도형에 있는 각을 모두 찾아 표시하면 다음과 같습니다.

가 도형에 있는 각은 0개, 나 도형에 있는 각은 5개입니다.
⇨ 가와 나 도형에 있는 각은 모두
0+5=5(개)입니다.

**확인 2-2** 가와 나 도형에 있는 각을 모두 찾아 표시하면 다음과 같습니다.

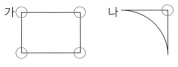

가 도형에 있는 각은 4개, 나 도형에 있는 각은 1개입니다.
⇨ 가와 나 도형에 있는 각은 모두
4+1=5(개)입니다.

**확인 3-1** 도형 가는 나누어진 3조각의 모양과 크기가 같고, 도형 다는 나누어진 2조각의 모양과 크기가 같습니다.
⇨ 똑같이 나누어진 것은 가, 다입니다.

**확인 3-2** 도형 나는 나누어진 5조각의 모양과 크기가 같고, 도형 다는 나누어진 4조각의 모양과 크기가 같습니다.
⇨ 똑같이 나누어진 것은 나, 다입니다.

**확인 4-1** 전체를 똑같이 10조각으로 나눈 것 중의 9조각을 사용했으므로 남은 색 테이프는 1조각입니다.
전체를 똑같이 10으로 나눈 것 중의 1을 분수로 나타내면 $\frac{1}{10}$이고, $\frac{1}{10}$을 소수로 나타내면 0.1이므로 남은 색 테이프의 길이를 소수로 나타내면 0.1 m입니다.

**확인 4-2** 전체를 똑같이 10조각으로 나눈 것 중의 8조각을 사용했으므로 남은 나무 막대는 2조각입니다.

전체를 똑같이 10으로 나눈 것 중의 2를 분수로 나타내면 $\frac{2}{10}$이고, $\frac{2}{10}$를 소수로 나타내면 0.2이므로 남은 나무 막대의 길이를 소수로 나타내면 0.2 m입니다.

**4** $0.3=\frac{3}{10}$, $\frac{4}{10}=0.4$, $0.5=\frac{5}{10}$, $0.8=\frac{8}{10}$, $\frac{9}{10}=0.9$

**5** · 0.7은 0.1이 7개입니다. ⇨ ㉠=7
· 0.2는 $\frac{1}{10}$(=0.1)이 2개입니다. ⇨ ㉡=2
따라서 ㉠+㉡=7+2=9입니다.

**6** $\frac{1}{2}$은 전체를 똑같이 2로 나눈 것 중의 1입니다. 초콜릿 4조각을 똑같이 2로 나눈 것 중의 1은 2조각이므로 민규가 먹은 초콜릿은 2조각입니다.

---

### 필수 체크 전략 ❷   86~87쪽

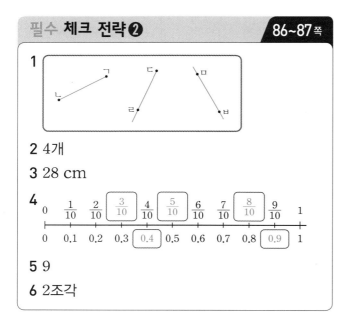

**1**

**2** 4개

**3** 28 cm

**4**

**5** 9

**6** 2조각

---

**2**

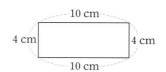

⇨ 직각삼각형이 모두 4개 만들어집니다.

**3** 직사각형은 마주 보는 두 변의 길이가 같으므로 네 변의 길이는 각각 다음과 같습니다.

10 cm
4 cm   4 cm
10 cm

⇨ (직사각형의 네 변의 길이의 합)
=10+4+10+4=28(cm)

---

### 필수 체크 전략 ❶   88~91쪽

**필수 예제 01** 6, 6, 4, 24

**확인 1-1** 32 m

**확인 1-2** 36 m

**필수 예제 02** 3시

**확인 2-1** 9시

**확인 2-2** 3시

**필수 예제 03** 예 / 3

**확인 3-1** 예 / 5개

**확인 3-2** 예 / 6개

**필수 예제 04** (1) 4.3 cm  (2) ㉠

**확인 4-1** ㉡

**확인 4-2** ㉠

**확인 1-1** 정사각형은 네 변의 길이가 모두 같습니다.
➡ 한 변의 길이가 8 m인 정사각형의 네 변의 길이의 합은
$8+8+8+8=8×4=32$ (m)입니다.

**확인 1-2** 정사각형은 네 변의 길이가 모두 같습니다.
➡ 한 변의 길이가 9 m인 정사각형의 네 변의 길이의 합은
$9+9+9+9=9×4=36$ (m)입니다.

**확인 2-1** 시계의 긴바늘이 12를 가리키고 긴바늘과 짧은바늘이 이루는 각이 직각인 시각은 3시와 9시이고, 이 중에서 오전 7시와 오전 11시 사이의 시각은 오전 9시입니다.

**확인 2-2** 시계의 긴바늘이 12를 가리키고 긴바늘과 짧은바늘이 이루는 각이 직각인 시각은 3시와 9시이고, 이 중에서 오후 2시와 오후 7시 사이의 시각은 오후 3시입니다.

**확인 3-1** $\frac{5}{7}$는 전체를 똑같이 7로 나눈 것 중의 5이므로 5칸을 색칠합니다.
➡ $\frac{5}{7}$는 $\frac{1}{7}$이 5개입니다.

**확인 3-2** $\frac{6}{8}$은 전체를 똑같이 8로 나눈 것 중의 6이므로 6칸을 색칠합니다.
➡ $\frac{6}{8}$은 $\frac{1}{8}$이 6개입니다.

**확인 4-1** 82 mm=8 cm 2 mm이고
2 mm=0.2 cm이므로
82 mm=8.2 cm입니다.

따라서 7.8<8.2이므로 길이가 더 긴 것은 ㉡입니다.

**확인 4-2** 35 mm=3 cm 5 mm이고
5 mm=0.5 cm이므로
35 mm=3.5 cm입니다.
따라서 3.9>3.5이므로 길이가 더 긴 것은 ㉠입니다.

## 필수 체크 전략 ❷ 92~93쪽

1 ③
2 ㉡
3 6개
4 ㉡
5 7, 8, 9에 ◯표
6 $\frac{1}{4}$, $\frac{1}{5}$, $\frac{1}{6}$

1
점 ㄱ과 점 ③을 이으면 직각을 그릴 수 있습니다.

2 ㉡ 직사각형은 네 각이 모두 직각인 사각형입니다.
직사각형은 네 변의 길이가 모두 같을 수도 있고 같지 않을 수도 있습니다.

3

• 각 1개짜리: ①, ②, ③ → 3개
• 각 2개짜리: ①+②, ②+③ → 2개
• 각 3개짜리: ①+②+③ → 1개
➡ 3+2+1=6(개)

**4** ㉠, ㉢ 색칠한 부분은 전체를 똑같이 9로 나눈 것 중의 4이므로 $\frac{4}{9}$입니다.

㉡ 색칠한 부분은 전체를 똑같이 9로 나눈 것 중의 3이므로 $\frac{3}{9}$입니다.

따라서 색칠한 부분이 나타내는 분수가 다른 하나는 ㉡입니다.

**5** 두 소수의 소수점 왼쪽 부분이 같으므로 2.6<2.□에서 6<□이어야 합니다.

따라서 □ 안에 들어갈 수 있는 수는 7, 8, 9입니다.

**6** $\frac{1}{7}$보다 크고 $\frac{1}{3}$보다 작은 단위분수의 분모는 3보다 크고 7보다 작으므로 조건에 알맞은 분수는 $\frac{1}{4}$, $\frac{1}{5}$, $\frac{1}{6}$입니다.

단위분수는 분모가 작을수록 더 큰 분수예요.

**교과서 대표 전략 ❶**　　94~97쪽

대표 **예제 01** ㉣

대표 **예제 02** 例 반직선이 아닌 굽은 선으로 이루어진 부분이 있습니다.

대표 **예제 03**

대표 **예제 04** 例

대표 **예제 05** 6개

대표 **예제 06** 7 cm

대표 **예제 07** 8개

대표 **예제 08** 38 cm

대표 **예제 09** ②

대표 **예제 10** 例

대표 **예제 11** 민서

대표 **예제 12** 경찰서

대표 **예제 13** $\frac{7}{8}$에 ○표, $\frac{3}{8}$에 △표

대표 **예제 14** ㉡

대표 **예제 15** 가, 다에 ○표

대표 **예제 16** 5배

대표 **예제 01** ㉢ 점 ㄷ에서 시작하여 점 ㄹ을 지나는 반직선이므로 반직선 ㄷㄹ입니다.

**주의**

반직선 ㄷㄹ과 반직선 ㄹㄷ은 서로 다른 반직선입니다.

**대표 예제 03** 그림에서 직각을 모두 찾으면 3군데 입니다.

**대표 예제 04** 여러 가지 직각삼각형을 그릴 수 있습니다.

**대표 예제 05** 직선 ㄱㄴ, 직선 ㄴㄷ, 직선 ㄷㄹ, 직선 ㄱㄹ, 직선 ㄱㄷ, 직선 ㄴㄹ
➡ 6개

**대표 예제 06** 정사각형의 한 변의 길이를 □ cm라 하면
□+□+□+□=28,
□×4=28이고
7×4=28이므로 □=7입니다.

**대표 예제 07**

| ① | | |
|---|---|---|
| ② | ③ | ④ |

- 직사각형 1개짜리: ①, ②, ③, ④
→ 4개
- 직사각형 2개짜리: ①+②,
②+③, ③+④ → 3개
- 직사각형 3개짜리: ②+③+④
→ 1개
➡ 4+3+1=8(개)

**대표 예제 08** 다음 그림과 같이 도형의 변을 이동하면 도형을 둘러싼 굵은 선의 길이의 합은 긴 변의 길이가 11 cm, 짧은 변의 길이가 8 cm인 직사각형의 네 변의 길이의 합과 같습니다.
➡ 11+8+11+8=38(cm)

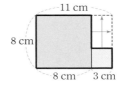

**대표 예제 09** 도형을 ②번 점선을 따라 자르면 둘로 똑같이 나눌 수 있습니다.

**대표 예제 10** $\dfrac{2}{6}$는 전체를 똑같이 6칸으로 나눈 것 중의 2칸을 색칠합니다.

**대표 예제 11** 수직선의 작은 눈금 한 칸은 0.1이고, ▬ 부분은 작은 눈금 26칸이므로 0.1이 26개인 수와 같습니다.

**대표 예제 12** 1.5>1.4이므로 기영이네 집에서 더 가까운 곳은 경찰서입니다.

**대표 예제 13** 분자의 크기를 비교하면 7>5>3이므로 $\dfrac{7}{8}$>$\dfrac{5}{8}$>$\dfrac{3}{8}$입니다.
따라서 가장 큰 분수는 $\dfrac{7}{8}$, 가장 작은 분수는 $\dfrac{3}{8}$입니다.

**대표 예제 14** ㉠ 29 mm=2 cm 9 mm이고
9 mm=0.9 cm이므로
29 mm=2.9 cm입니다.

**대표 예제 15** 가, 다: 전체를 똑같이 4로 나누었습니다.
나: 전체를 똑같이 5로 나누었습니다.

**대표 예제 16** 피자 한 판을 똑같이 6으로 나눈 것 중의 남은 부분은 6-1=5이므로 분수로 나타내면 $\dfrac{5}{6}$입니다.
따라서 $\dfrac{5}{6}$는 $\dfrac{1}{6}$이 5개이므로 $\dfrac{5}{6}$는 $\dfrac{1}{6}$의 5배입니다.

**1** ㉡
**2** 4개
**3** 4
**4** 14개
**5** $\dfrac{3}{7}$　$\dfrac{4}{7}$
　　(　　)　(　○　)
**6** ㉢
**7** 2, 3, 4에 ○표
**8** 8.5, 3.5

**1** 도형을 둘러싼 선분의 수를 세어 보면
　㉠ 5개, ㉡ 6개, ㉢ 4개입니다.
　따라서 선분이 가장 많은 도형은 ㉡입니다.

**2**

　➡ 4개

**3** (정사각형의 네 변의 길이의 합)
　$=3\times4=12$(cm)
　(직사각형의 네 변의 길이의 합)
　$=\square+2+\square+2=12$(cm)
　$\square+\square+4=12$, $\square+\square=8$, $\square=4$

**4** • 정사각형 1개짜리: 9개
　• 정사각형 4개짜리: 4개
　• 정사각형 9개짜리: 1개
　➡ $9+4+1=14$(개)

**5** 전체를 똑같이 7로 나눈 것 중의 남은 부분은
　3이므로 $\dfrac{3}{7}$이고, 먹은 부분은 4이므로 $\dfrac{4}{7}$입
　니다. ➡ $\dfrac{3}{7}<\dfrac{4}{7}$

**6** ㉠, ㉡, ㉣ 4.9
　㉢ 4.6
　따라서 나타내는 수가 다른 하나는 ㉢입니다.

**7** $\dfrac{1}{5}<\dfrac{1}{\square}$에서 $5>\square$이므로 $\square$ 안에 들어갈
　수 있는 수는 2, 3, 4입니다.

**8** $8>5>3$이므로 만들 수 있는 소수 ■.▲ 중
　에서 가장 큰 수는 8.5, 가장 작은 수는 3.5입
　니다.

**01** (1) 선분 ㄱㄴ 또는 선분 ㄴㄱ
　　 (2) 직선 ㄷㄹ 또는 직선 ㄹㄷ
**02** 각 ㄱㄹㄷ 또는 각 ㄷㄹㄱ
**03** 5개, 1개
**04**

**05** ㉖ 네 각이 모두 직각입니다. /
　　 ㉖ 변의 길이가 다릅니다.
**06** $\dfrac{1}{3}$, 3분의 1
**07** 2.4컵
**08** 민경
**09** (위에서부터) $\dfrac{10}{13}$, $\dfrac{9}{13}$, $\dfrac{10}{13}$
**10** 5.8 cm

**01** (1) 점 ㄱ과 점 ㄴ을 이은 선분이므로 선분 ㄱㄴ
　　 또는 선분 ㄴㄱ이라고 읽습니다.
　 (2) 점 ㄷ과 점 ㄹ을 지나는 직선이므로 직선
　　 ㄷㄹ 또는 직선 ㄹㄷ이라고 읽습니다.

**02** 각을 읽을 때에는 각의 꼭짓점이 가운데에 오
　도록 읽습니다.

**03**  직각삼각형: ①, ②, ③, ⑤, ⑦

⇨ 5개

정사각형: ④ ⇨ 1개

**04** 네 각이 모두 직각인 사각형이 되도록 꼭짓점 1개를 옮깁니다.

**05** 같은 점 변이 4개입니다. 꼭짓점이 4개입니다. 직각이 4개입니다. 등

**06** 흰색 부분은 전체를 똑같이 3으로 나눈 것 중의 1이므로 $\frac{1}{3}$이라 쓰고 3분의 1이라고 읽습니다.

**07** 주스는 2컵과 0.4컵만큼이므로 2.4컵입니다.

**08** 9.8>9.6이므로 더 빨리 달린 사람은 민경입니다.

**09** 분모가 13으로 모두 같으므로 분자의 크기를 비교합니다.

$$\frac{9}{13}>\frac{7}{13}, \ \frac{8}{13}<\frac{10}{13} \Rightarrow \frac{9}{13}<\frac{10}{13}$$

**10** (지난달과 이번 달 강수량의 합)

　　=17+41=58 (mm)

⇨ 58 mm=5 cm 8 mm이고

8 mm=0.8 cm이므로

58 mm=5.8 cm입니다.

---

### 창의·융합·코딩 전략❶　102~103쪽

**1** 160 cm　　　　**2** 여학생

**1** 40×4=160 (cm)

**2** $\frac{4}{10}<\frac{6}{10}$이므로 여학생이 피자를 더 많이 먹으려고 했습니다.

---

### 창의·융합·코딩 전략❷　104~107쪽

**1** ㉣, ㉡, ㉢, ㉠

**2**

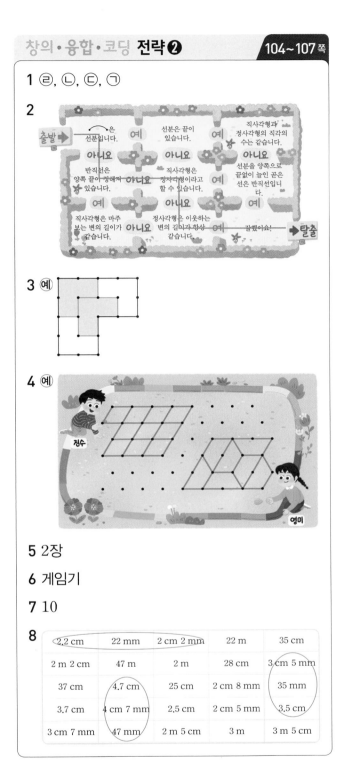

**3** 예

**4** 예

**5** 2장

**6** 게임기

**7** 10

**8**

| 2.2 cm | 22 mm | 2 cm 2 mm | 22 m | 35 cm |
|---|---|---|---|---|
| 2 m 2 cm | 47 m | 2 m | 28 cm | 3 cm 5 mm |
| 37 cm | 4.7 cm | 25 cm | 2 cm 8 mm | 35 mm |
| 3.7 cm | 4 cm 7 mm | 2.5 cm | 2 cm 5 mm | 3.5 cm |
| 3 cm 7 mm | 47 mm | 2 m 5 cm | 3 m | 3 m 5 cm |

**1** 맨 위에 있는 ㉣부터 하나씩 빼 보면 다음과 같습니다.

**2** · ⌒은 선분이 아닙니다. ⇨ 아니요
· 반직선은 한쪽에만 끝점이 있습니다.
 ⇨ 아니요
· 직사각형은 정사각형이라고 할 수 없습니다. ⇨ 아니요
· 정사각형은 이웃하는 변의 길이가 항상 같습니다. ⇨ 예

**3** $\frac{2}{4}$만큼 색칠해야 하므로 나눈 것 중의 2개를 색칠합니다.

**4** · 진수: 전체를 10으로 나눈 것 중의 1이 주어져 있으므로 9만큼을 더 그립니다.
· 영미: 전체를 7로 나눈 것 중의 1이 주어져 있으므로 6만큼을 더 그립니다.

**5**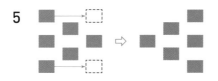

**6** 0.9＞0.7 ⇨ 6.2＜7.3 ⇨ 4.5＜4.8
따라서 소율이가 받을 선물은 게임기입니다.

**7** 1＋(직사각형의 직각의 수)＋(정사각형의 길이가 같은 변의 수)＋(직각삼각형의 직각의 수)
＝1＋4＋4＋1＝10

**8** · 2.2 cm＝22 mm＝2 cm 2 mm
· 4.7 cm＝47 mm＝4 cm 7 mm
· 3.5 cm＝35 mm＝3 cm 5 mm

---

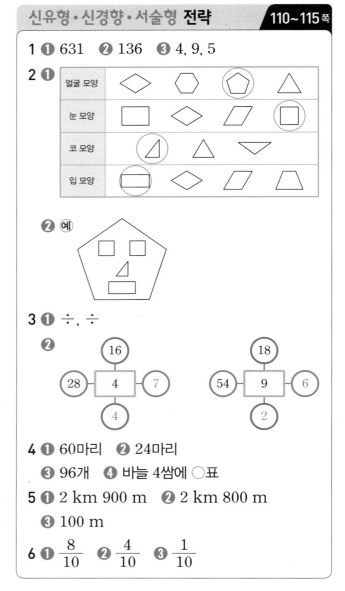

**신유형·신경향·서술형 전략** 110~115쪽

**1 ❶** 631 **❷** 136 **❸** 4, 9, 5

**2 ❶**

| 얼굴 모양 | | | | |
|---|---|---|---|---|

**❷ 예**

**3 ❶** ÷, ÷
**❷**

**4 ❶** 60마리 **❷** 24마리
**❸** 96개 **❹** 바늘 4쌈에 ○표

**5 ❶** 2 km 900 m **❷** 2 km 800 m
**❸** 100 m

**6 ❶** $\frac{8}{10}$ **❷** $\frac{4}{10}$ **❸** $\frac{1}{10}$

---

**1 ❶** 가장 큰 세 자리 수를 만들려면 높은 자리부터 큰 수를 차례대로 놓아야 합니다.
따라서 6＞3＞1이므로 가장 큰 세 자리 수는 631입니다.
**❷** 가장 작은 세 자리 수를 만들려면 높은 자리부터 작은 수를 차례대로 놓아야 합니다.
따라서 1＜3＜6이므로 가장 작은 세 자리 수는 136입니다.
**❸** 631－136＝495이므로 여행 가방의 비밀번호는 495입니다.

2 ❶ ・얼굴 모양: 선분 5개로 둘러싸인 도형
⇨ ⬠ (오각형)
・눈 모양: 네 각이 모두 직각이고 네 변
의 길이가 모두 같은 사각형
⇨ ☐ (정사각형)
・코 모양: 한 각이 직각인 삼각형
⇨ ◺ (직각삼각형)
・입 모양: 네 각이 모두 직각인 사각형
⇨ ▭ (직사각형)

❷ 얼굴을 그리고 얼굴 안에 눈, 코, 입을 그
려 넣습니다.

3 ❶ $6 \div 2 = 3$, $9 \div 3 = 3$ ⇨ 가$\div$★$=$나
$8 \div 2 = 4$, $12 \div 3 = 4$ ⇨ A$\div$★$=$B
❷ $16 \div 4 = 4$, $28 \div 4 = 7$
$18 \div 9 = 2$, $54 \div 9 = 6$

4 ❶ 북어 한 쾌는 북어가 20마리이므로 북어
3쾌는 북어가 $20 \times 3 = 60$(마리)입니다.
❷ 고등어 한 손은 고등어가 2마리이므로 고
등어 12손은 고등어가 $2 \times 12 = 24$(마리)
입니다.
❸ 바늘 한 쌈은 바늘이 24개이므로 바늘 4쌈
은 바늘이 $24 \times 4 = 96$(개)입니다.
❹ $96 > 60 > 24$이므로 수가 가장 많은 것은
바늘 4쌈입니다.

5 ❶ 2 km보다 900 m 더 긴 것은
2 km 900 m입니다.
❷ 1000 m$=$1 km이므로
2800 m$=$2000 m$+$800 m
$=$2 km 800 m입니다.
❸ (진수가 걸어간 거리)$-$(연희가 걸어간 거리)
$=$2 km 900 m$-$2 km 800 m
$=$100 m

6 ❶ ↓ 방향으로 보면 $\dfrac{9}{10} > ㉠ > \dfrac{7}{10}$이므로
㉠에 알맞은 분수는 $\dfrac{8}{10}$입니다.
❷ ↓ 방향으로 보면 $\dfrac{6}{10} > ㉡ > \dfrac{2}{10}$이므로
㉡에 $\dfrac{5}{10}$, $\dfrac{4}{10}$, $\dfrac{3}{10}$이 들어갈 수 있습니
다.
$\dfrac{5}{10}$와 $\dfrac{3}{10}$은 주어져 있으므로 ㉡에 알맞
은 분수는 $\dfrac{4}{10}$입니다.
❸ → 방향으로 보면 $\dfrac{2}{10} > ㉢$이므로 ㉢에 알
맞은 분수는 $\dfrac{1}{10}$입니다.

신유형・신경향・서술형 전략으로
스스로 해결하는 힘을 키워 보세요.

## 학력진단 전략 1회 116~119쪽

**01** 3 밀리미터

**02** (1) 355 (2) 312

**03** 3, 100 / 3 킬로미터 100 미터

**04** 10

**05** (1) 20 (2) 5, 8

**06**
```
      1
    6 1 8
  + 3 2 9
  ───────
    9 4 7
```

**07**

**08** (1) 180, 3, 30 (2) 300, 340

**09** 1281

**10** 282

**11** 광안대교

**12** (1) 3시 30분 45초
(2) 6시간 20분 10초

**13** ㉡ / 예 공책의 긴 쪽의 길이는 약 26 cm입니다.

**14** 433

**15** 258

**16** 민호

**17** 도서관, 61 m

**18** 792

**19** 1시간 14분 55초

**20** 476

---

**01** mm는 밀리미터라고 읽습니다.

**02** 각 자리를 맞추어 같은 자리 수끼리 계산합니다.

**03** 3 km보다 100 m 더 긴 것을 3 km 100 m라 쓰고, 3 킬로미터 100 미터라고 읽습니다.

**04** □ 안의 수 1은 일의 자리 계산에서 십의 자리에 받아올림한 수이므로 실제로 10을 나타냅니다.

**05** (1) 1 cm＝10 mm이므로
2 cm＝20 mm입니다.
(2) 58 mm＝50 mm＋8 mm
＝5 cm＋8 mm
＝5 cm 8 mm

**06** 일의 자리 계산에서 십의 자리로 받아올림한 수를 십의 자리 계산에서 더하지 않아서 잘못되었습니다.
```
      1
    6 1 8
  + 3 2 9
  ───────
    9 4 7
```

**07** 16초이므로 초바늘이 3에서 작은 눈금 한 칸더 간 곳을 가리키도록 그립니다.

**08** (1) 210초＝180초＋30초＝3분＋30초
＝3분 30초
(2) 5분 40초＝5분＋40초＝300초＋40초
＝340초

**09**
```
    1 1
    6 9 4
  + 5 8 7
  ───────
  1 2 8 1
```

**10** 139＋143＝□, □＝282

**11** 1 km＝1000 m이므로
7 km 420 m＝7420 m입니다.
따라서 7310＜7420이므로 길이가 더 긴 다리는 광안대교입니다.

**12** 시는 시끼리, 분은 분끼리, 초는 초끼리 계산합니다.

**13** 26 mm＝2 cm 6 mm이므로 공책의 긴 쪽의 길이로 알맞지 않습니다.
⇨ 공책의 긴 쪽의 길이는 약 26 cm가 알맞습니다.

**14** 678－245＝433

**15** 178＋□＝436, 436－178＝□, □＝258

**16** 1분＝60초이므로
6분 20초＝6분＋20초＝360초＋20초
　　　　＝380초입니다.
따라서 380＞350이므로 줄넘기를 더 오래한 사람은 민호입니다.

**17** 836＞775이므로 도서관이 진수네 집에서
836－775＝61 (m) 더 멉니다.

**18** 만들 수 있는 가장 큰 세 자리 수는 981이고, 가장 작은 세 자리 수는 189입니다.
따라서 두 수의 차는 981－189＝792입니다.

**19** • 수학 공부를 시작한 시각: 3시 30분 11초
• 수학 공부를 끝낸 시각: 4시 45분 6초
• (수학 공부를 한 시간)
＝4시 45분 6초－3시 30분 11초
＝1시간 14분 55초

**20** 어떤 수를 □라 하면 □＋113＝702,
702－113＝□, □＝589입니다.
따라서 바르게 계산하면 589－113＝476입니다.

---

**학력진단 전략 2회** 　　120~123쪽

**01** ⊙⊙⊙ ⊙⊙⊙ ⊙⊙⊙ ⊙⊙⊙ / 3
**02** 42
**03** ( ○ ) (　)
**04** 15÷3＝5
**05** (　) (　) ( ○ )
**06** (1) 64　(2) 159
**07** 45, 9 / 9, 5
**08**
　　　1
　　6　9
　×　　2
　1　3　8
**09** 현수
**10** 63, 9, 7 / 63, 7, 9
**11** 8, 2
**12** 27－9－9－9＝0 / 27÷9＝3 / 3명
**13** 92×3＝276 / 276 m
**14** 4, 5에 ○표
**15** 21
**16** 5명
**17** 39살
**18** 재영
**19** 3, 4
**20** 3일

**01** 사과 12개를 바구니 4개에 똑같이 나누어 담으면 바구니 1개에 사과를 3개씩 담을 수 있습니다.

**02** 수 모형이 21씩 2묶음이므로 21×2＝42입니다.

**03** 30×2는 3×2의 계산 결과에 0을 붙입니다.
⇨ 3×2＝6이므로 30×2＝60입니다.

**04** 15 나누기 3은 5와 같습니다.
　15 ÷ 3 ＝5

**05** $10 \div 2 = \boxed{5}$   $2 \times \boxed{5} = 10$

**06** 올림에 주의하여 계산합니다.

**07**

$45 \div 5 = 9$   $45 \div 9 = 5$

**08** 일의 자리 계산에서 십의 자리로 올림한 수를 십의 자리 계산에서 더하지 않아서 잘못되었습니다.

$$\begin{array}{r} {\scriptstyle 1}\phantom{0} \\ 6\ 9 \\ \times \quad 2 \\ \hline 1\ 3\ 8 \end{array}$$

**09** 현수: 십의 자리로 올림한 수를 빠뜨리지 않도록 주의합니다.

$$\begin{array}{r} {\scriptstyle 1}\phantom{0} \\ 3\ 6 \\ \times \quad 2 \\ \hline 7\ 2 \end{array}$$

**10** 세 수를 모두 이용하여 곱셈식을 만들면 $9 \times 7 = 63$입니다.
곱셈식 $9 \times 7 = 63$을 나눗셈식 2개로 바꾸면 $63 \div 9 = 7$, $63 \div 7 = 9$입니다.

**11** $72 \div 9 = 8 \Rightarrow 8 \div 4 = 2$

**12** 27에서 9씩 3번 빼면 0이 됩니다.
$\Rightarrow 27 - 9 - 9 - 9 = 0$
뺄셈식을 나눗셈식으로 나타내면 $27 \div 9 = 3$입니다.

**13** (진성이가 달린 거리)
$=$ (한 바퀴의 거리) $\times$ (달린 바퀴 수)
$= 92 \times 3 = 276$ (m)

**14** $87 \times 4 = 348$, $87 \times 5 = 435$, $87 \times 6 = 522$
……이므로 계산 결과가 500보다 작은 경우는 $87 \times 4 = 348$, $87 \times 5 = 435$입니다.
따라서 □ 안에 들어갈 수 있는 수는 4, 5입니다.

**15** 어떤 수를 □라 하면
$\square \div 3 = 7$, $3 \times 7 = \square$, $\square = 21$입니다.

**16** (전체 쿠키 수) $= 25 + 15 = 40$(개)
(나누어 줄 수 있는 친구 수) $= 40 \div 8 = 5$(명)

**17** (언니의 나이) $= 11 + 2 = 13$(살)
(삼촌의 나이) $= 13 \times 3 = 39$(살)

**18** 재영: $18 \times 6 = 108$(쪽)
민희: $32 \times 3 = 96$(쪽)
따라서 $108 > 96$이므로 책을 더 많이 읽은 사람은 재영입니다.

**19**
$$\begin{array}{r} ㉠\ ㉡ \\ \times \qquad 9 \\ \hline 3\ 0\ 6 \end{array}$$

• 일의 자리 계산:
㉡ $\times 9$의 일의 자리 수가 6이므로
$4 \times 9 = 36$에서 ㉡ $= 4$입니다.
• 십의 자리 계산:
㉠ $\times 9 = 30 - 3$, ㉠ $\times 9 = 27$이므로
㉠ $= 3$입니다.

**20** (다람쥐 한 마리가 하루에 먹는 도토리 수)
$= 6 \div 2 = 3$(개)
(다람쥐 한 마리가 먹어야 하는 도토리 수)
$= 27 \div 3 = 9$(개)
(다람쥐 3마리가 도토리 27개를 먹는 데 걸리는 날수)
$= 9 \div 3 = 3$(일)

## 학력진단 전략 3회 124~127쪽

01 가, 다

02 2, $\frac{2}{4}$, 4, 2

03 5, 5

04 1.2, 일 점 이

05 $\frac{3}{6}$, 6분의 3

06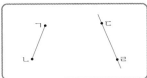

07 점 ㄴ / 변 ㄴㄱ, 변 ㄴㄷ /
각 ㄱㄴㄷ 또는 각 ㄷㄴㄱ

08 0.9, 영 점 구

09

10 ④

11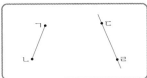

12 ㉠, ㉢, ㉣

13 8개

14 ㉡, ㉢, ㉠

15 6, 7, 8, 9에 ○표

16 80 cm

17 3개

18 $\frac{5}{9}$, $\frac{6}{9}$, $\frac{7}{9}$

19 노란색 끈

20 34 cm

---

01 나누어진 조각의 모양과 크기가 같은 것을 모두 찾습니다.

02 $\dfrac{(부분의 수)}{(전체를 똑같이 나눈 수)} = \dfrac{2}{4}$

⇨ $\dfrac{2}{4}$는 4분의 2라고 읽습니다.

03 정사각형은 네 변의 길이가 모두 같습니다.

04 1과 0.2만큼을 1.2라 쓰고 일 점 이라고 읽습니다.

05 색칠한 부분은 전체를 똑같이 6으로 나눈 것 중의 3이므로 $\dfrac{3}{6}$이고 6분의 3이라고 읽습니다.

06 • 직선 ㄱㄴ: 점 ㄱ과 점 ㄴ을 지나는 직선
• 반직선 ㄱㄴ: 점 ㄱ에서 시작하여 점 ㄴ을 지나는 반직선
• 반직선 ㄴㄱ: 점 ㄴ에서 시작하여 점 ㄱ을 지나는 반직선

07 • 점 ㄴ이 각의 꼭짓점입니다.
• 반직선 ㄴㄱ을 변 ㄴㄱ, 반직선 ㄴㄷ을 변 ㄴㄷ 이라고 합니다.
• 각을 읽을 때에는 각의 꼭짓점이 가운데에 오도록 읽어야 하므로 각 ㄱㄴㄷ 또는 각 ㄷㄴㄱ이라고 읽습니다.

08 $\dfrac{9}{10}$는 소수로 0.9라 쓰고 영 점 구라고 읽습니다.

09 • 선분 ㄱㄴ: 점 ㄱ과 점 ㄴ을 곧게 잇습니다.
• 직선 ㄷㄹ: 점 ㄷ과 점 ㄹ을 지나도록 긋습니다.

**10** 점 ㄴ을 ④번 점으로 옮기면 한 각이 직각인 삼각형이 만들어집니다.

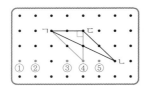

**11** • 0.1이 17개이면 1.7입니다.

• $\frac{1}{10}$(=0.1)이 8개이면 0.8입니다.

• 0.1이 44개이면 4.4입니다.

**12** ㉠ 4개의 선분으로 둘러싸인 도형이므로 사각형입니다.

㉢ 네 각이 모두 직각인 사각형이므로 직사각형입니다.

㉣ 네 각이 모두 직각이고 네 변의 길이가 모두 같은 사각형이므로 정사각형입니다.

**13**

1개　　4개　　3개

⇨ 1+4+3=8(개)

**14**

2개　　4개　　3개

⇨ 4>3>2이므로 직각의 수가 많은 도형부터 차례대로 기호를 쓰면 ㉡, ㉢, ㉠입니다.

**15** 소수점 오른쪽 부분을 비교하면 2<3이므로 □ 안에는 6과 같거나 큰 수가 들어갈 수 있습니다. ⇨ 6, 7, 8, 9

**16** 정사각형은 네 변의 길이가 모두 같습니다.

⇨ (정사각형의 네 변의 길이의 합)
　　=20×4=80 (cm)

**17** 단위분수는 분모가 작을수록 더 큰 분수입니다.

따라서 $\frac{1}{10}$보다 큰 단위분수는 분모가 10보다 작은 분수이므로 $\frac{1}{4}$, $\frac{1}{6}$, $\frac{1}{9}$로 모두 3개입니다.

**18** 분모가 9인 분수 중에서 $\frac{4}{9}$보다 크고 $\frac{8}{9}$보다 작은 분수는 분자가 4보다 크고 8보다 작은 분수이므로 $\frac{5}{9}$, $\frac{6}{9}$, $\frac{7}{9}$입니다.

**19** $\frac{9}{10}$ m=0.9 m이므로 1.4>1.3>0.9입니다.

따라서 길이가 가장 긴 끈은 노란색 끈입니다.

**20** 만든 직사각형의
긴 변의 길이는 5+5=10 (cm),
짧은 변의 길이는 7 cm입니다.
⇨ (직사각형의 네 변의 길이의 합)
　　=10+7+10+7=34 (cm)

수고했어요.
다음에 또 만나요.

**수학 문제해결력 강화 교재**

AI인공지능을 이기는 인간의 **독해력 + 창의·사고력 UP**

# 수학도
# 독해가 힘이다

## 새로운 유형

문장제, 서술형, 사고력 문제 등
까다로운 유형의 문제를
쉬운 해결전략으로 연습

## 취약점 보완

연산·기본 문제는 잘 풀지만,
문장제나 사고력 문제를 힘들어하는
학생들을 위한 맞춤 교재

## 체계적 시스템

문제해결력 – 수학 사고력 –
수학 독해력 – 창의·융합·코딩으로
이어지는 체계적 커리큘럼

수학도 독해가 필수!
(초등 1~6학년/학기용)

정답은
이안에
있어!